Dello stesso autore in BUR Rizzoli

Agamennone
Apocolocyntosis
Le consolazioni
Edipo
Epigrammi
Ercole sul monte Eta
Le Fenicie
La fermezza del saggio. La vita ritirata
La follia di Ercole
L'ira
Lettere a Lucilio
Medea. Fedra
La provvidenza
Questioni naturali
Sulla felicità
Tieste
La tranquillità dell'animo
Le Troiane

Lucio Anneo Seneca

LA BREVITÀ DELLA VITA

Introduzione, traduzione e note
di Alfonso Traina

Testo latino a fronte

ISBN 978-88-17-16940-0

Titolo originale dell'opera:
De brevitate vitae

Prima edizione BUR 1993
Trentunesima edizione riveduta e aggiornata BUR Classici greci e latini ottobre 2016

IL TEMPO E LA SAGGEZZA

O quando illud videbis tempus, quo scies tempus ad te non pertinere.
Sen. *ep.* 32, 4

«Quando ogni uomo avrà raggiunto la felicità, il tempo non ci sarà più.»
Dostoevskij

1. Quasi accogliendo l'invito di Péguy («Dis-moi comment tu traites le présent et je te dirai quelle philosophie tu es»),[1] il Goldschmidt ha scritto un libro meritamente fortunato sulla rivalutazione del tempo, e in particolare del presente, nello stoicismo.[2] Per Platone, l'essere, nel suo eterno presente, è sottratto alla degradazione delle cose che divengono nel tempo. L'originalità degli Stoici è di interpretare questo «è» eterno e immutabile in senso dinamico: «è nel tempo che tutte le cose si muovono ed esistono».[3] E il tempo si offre all'uomo sotto un'unica realtà: quella del presente, in cui si gioca, attraverso le nostre scelte, la nostra felicità, cioè la nostra libertà di assentire all'ordine cosmico. Anche lo stoico, sia pure per diverse vie e con diverso spirito, può dire con l'epicureo: *carpe diem.*[4] Per il pensiero postaristotelico il Grilli ha

[1] «Dimmi come tratti il presente e ti dirò che filosofo sei» (cito da J. Pucelle, *Le temps*, Paris 1967⁴, p. 104).

[2] V. Goldschmidt, *Le système stoïcien et l'idée du temps*, Paris 1953¹, 1969². Cfr. anche A. Bridoux, *Le stoïcisme et son influence*, Paris 1966, p. 221 sg.; D. Pesce, *La concezione stoica del tempo*, «Paideia» 47, 1992, pp. 49-64.

[3] Goldschmidt, *op. cit.*, p. 33.

[4] Cfr. Sen. *brev. vit.* 9, 1: *protinus vive*; Marc. Aur. 4, 26, 5: κερδαντέον τὸ παρόν; incontro con la saggezza buddista: «Non si pentono del passato, non si preoccupano dell'avvenire, ma vivono nel presente. Perciò sono felici» (W. Rahula, *L'enseignement du Bouddha,* Paris 1961, p. 103).

parlato di una «concezione etica del tempo, quale coefficiente o determinante del fattore felicità nell'uomo»[5] (e il Goldschmidt oppone il «vitalismo dinamico» della definizione stoica del tempo al matematismo dei sistemi precedenti); si potrebbe anche parlare di un senso esistenziale del tempo, tanto più che proprio gli Stoici sono posti dal Mounier alla radice dell'albero esistenzialista:[6] come non pensare all'«essere-nel-tempo» di Heidegger, alla tragica grandezza dell'istante kierkegaardiano? Ma c'è un limite, che lo stoicismo eredita da una delle maggiori costanti del pensiero greco: la teoria ciclica dell'eterno ritorno intacca l'importanza della temporalità e «di nuovo immobilizza il tempo nell'eterno».[7]

2. Seneca è uno dei testimoni più spesso chiamati in causa dal Goldschmidt. Né poteva essere altrimenti, dato il silenzio dell'antica e media Stoa. Ma è testimone malfido, che rifugge dalle definizioni troppo teoriche – come Pascal![8] – ed esaspera, al contrario, gli elementi esistenziali del tempo stoico (che poi si storicizza nell'inquieto tempo della Roma imperiale, quando si pone alla vecchia classe dirigente, con drammatica urgenza, il problema del tempo libero, l'*otium*). Se ne vuole una prova? È importante, nella fisica stoica, la teoria degli incorporali (ἀσώματα), che comprendono l'«esprimibile», il tempo, il vuoto e il luogo: non per nulla è questo il punto di partenza di Goldschmidt. Seneca accenna, una volta, alla divisione fra *corporalia* e *incorporalia*, per aggiungere subito dopo:

[5] *L'uomo e il tempo*, «Rend. Istit. Lomb.» cl. lett. 69, 1962, p. 83 (= Seneca, *Letture critiche*, a cura di A. Traina, Milano 2000^{2}, p. 57).
[6] E. Mounier, *Introduction aux existentialismes*, Paris 1962, p. 12.
[7] D. Pesce, *Il pensiero stoico ed epicureo*, Firenze 1958, p. 7.
[8] Cfr. G. Poulet, *Études sur le temps humain*, s.l., 1966, p. 49.

haec, Lucili virorum optime, quo minus legas non deterreo, dummodo quicquid legeris ad mores statim referas, «queste cose, mio ottimo Lucilio, non ti sconsiglio di leggerle, purché applichi ogni tua lettura alla morale» (*ep.* 89, 16 sg.). Ne aveva dato l'esempio lui stesso, nella lettera 58 (22 sgg.), dove, giunto al tempo, sospende la trattazione degli *incorporalia* per consolare col flusso cosmico eracliteo la coscienza della nostra labilità. Nel *De brevitate vitae* (8, 1), *incorporalis*, ormai spoglio di ogni rigore terminologico, gli serve per deplorare la cecità degli uomini che non sanno apprezzare il tempo «perché non cade sotto gli occhi». Due capitoli dopo (10, 2) c'imbattiamo nella tripartizione del tempo in *quod fuit*, *quod est*, *quod futurum est*, «secondo un'analisi risalente ad Aristotele e divenuta classica nello stoicismo».[9] Già: ma l'analisi di Seneca ha un bersaglio morale: dimostrare che non solo il presente e il futuro, ma neppure il passato, la parte più «certa» del tempo, appartiene agli uomini cui le troppe occupazioni e la mala coscienza impediscono di volgere indietro lo sguardo. Il tempo in Seneca non è mai puro oggetto di speculazione, come sarà in Agostino; è il tempo vissuto nell'ansia della sua fugacità.[10] Seneca testimonio dello stoicismo sarebbe stata una voce lontana, percepibile dai soli eruditi; Seneca testimonio dell'angoscia umana del tempo è una voce di sempre, come un'ode di Orazio o un pensiero di Pascal.[11]

[9] J. Moreau, *Sénèque et le prix du temps*, «Bull. Budé» 1969, p. 119.

[10] Cfr. *Sénèque*, par P. Aubenque et J.-M. André, s.l., 1964, p. 47: «la scoperta più profonda della psicologia di Seneca, il senso negativo e il potere di nullificazione del tempo» (André); p. 80: «donde in Seneca una vera angoscia dell'uso del tempo, un'ossessione del tempo perduto» (Aubenque).

[11] Tanto più oggi, se è vero che mai, come oggi, l'uomo è stato così

3. Questo senso della fuga del tempo e della precarietà delle cose percorre come un brivido febbrile tutta l'opera di Seneca, dalla *Consolatio ad Marciam* (10, 4: *miseri nescitis in fuga vivere,* «poveri voi, incapaci di vivere sempre in fuga») alle *Naturales quaestiones* (6, 32, 10: *in puncto fugientis temporis pendeo*, «sono sospeso in un istante del tempo che fugge»), dal *De brevitate vitae* (9, 3: *in tanta temporum fuga*, «in così grande fuga del tempo») alle *Epistulae ad Lucilium* (49, 2: *praecipitis fugae transitus*, «il passaggio di una fuga precipitosa»). Le metafore preferite sono tre: il fiume, il punto, l'abisso.

Il fiume del tempo, è metafora scontata: *praesens tempus... fluit et praecipitatur*, «il presente... scorre a precipizio» (*brev. vit.* 10, 6); ma è proprio di Seneca vederlo non solo come un movimento chiuso in se stesso, attraverso la diatesi intransitiva di *fluo* e i suoi sinonimi *labor* e *curro* (*brev. vit.* 8, 5, ecc.), bensì soprattutto nella forza dei suoi effetti sugli uomini e le cose. Secondo i casi, è la piena che abbatte e porta via (*ad Marc.* 26, 6: *omnia sternet abducetque secum vetustas*, «tutto sarà atterrato e travolto dal tempo»), o la corrosione che scalza (*Phaedr.* 775: *tempus te tacitum subruit*, «il tempo ti scalza in silenzio»); più spesso, è la violenza travolgente di *rapio* (*ep.* 58, 22: *corpora nostra rapiuntur fluminis more*, «i nostri corpi sono rapiti come da un fiume»; 108, 24: *agit nos agiturque velox dies: inscii rapimur*, «ci sospinge ed è sospinto velocemente il giorno: siamo rapiti senza che ce ne accorgiamo»; *prov.* 5, 8: *magnum solacium est cum universo rapi*, «è un grande conforto essere rapiti assieme all'universo», ecc.), che si estende, con la costanza di

indifeso contro il Tempo, in quanto si è identificato con esso (M. Eliade, *Il mito dell'alchimia,* trad. it., Roma 1968, p. 185 sgg.).

una sigla tematica, all'espressione nominale, piegando un termine giuridico a novità di *iuncturae* e di accezioni: *rapina rerum omnium est*, «tutto è rapina»[12] (*ad Marc.* 10, 4); *omnis dies, omnis hora te mutat: sed in aliis rapina facilius apparet, hic latet, quia non ex aperto est*, «ogni giorno, ogni ora ti cambia: ma negli altri la rapina appare più facilmente, in te si cela, perché non è allo scoperto» (*ep.* 104, 12). In *ep.* 37, 5 la *rapina rerum omnium* diviene il vortice del mondo, *turbo rerum*: un'immagine che piacerà a Marco Aurelio.[13]

Se il fiume simboleggia il tempo nel suo corso inarrestabile, la metafora spaziale del punto ne contrae la durata sino a vanificarla: *punctum est quod vivimus, et adhuc puncto minus*, «è un punto quello che viviamo, e ancor meno di un punto» (*ep.* 49, 3); *in hoc punctum coniectus es, quod ut extendas, quo usque extendes?*, «sei stato gettato in questo punto: ammesso che tu possa ampliarlo, sino a dove lo amplierai?» (*ep.* 77, 12). Su scala umana, spazio e tempo formano un solo mito: *terram hanc cum urbibus populisque et fluminibus et ambitu maris puncti loco ponimus ad universa referentes: minorem portionem aetas nostra quam puncti habet, si omni tempori comparetur*, «questa terra con le città e le popolazioni, i fiumi e il cerchio del mare, è per noi un punto di fronte all'universo: la nostra vita è meno di un punto in paragone dell'eternità» (*ad Marc.* 21, 2).[14]

[12] Per l'esegesi di questo passo cfr. L. Anneo Seneca, *Le consolazioni*, a cura di A. Traina, BUR, Milano 2010[11], p. 72.

[13] ἡ ἔξωθεν περιρρέουσα δίνη (12, 3, 3). Cfr. C. Hadot, *La cittadella interiore,* trad. it., Milano 1996, p. 232.

[14] Riferito all'angustia della terra, il topos del *punctum* ricorre tre volte nelle *nat. quaest.* (1 *praef.* 8: *hoc est illud punctum, quod inter tot gentes ferro et igne dividitur?*, «è questo quel punto, che si spartisce fra

Più caratteristico che, in un passo citato delle *Naturales quaestiones* (6, 32, 10), a indicare la puntualità del presente ricorra un verbo solitamente riferito al futuro: *in puncto fugientis temporis pendeo.* «Sono sospeso», come su un punto tra due abissi: del passato (*omnia in idem profundum cadunt,* «tutte le cose cadono nel medesimo abisso», *ep.* 49, 3; è il passo che continua: *punctum est quod vivimus...*) e del futuro (*profunda supra nos altitudo temporis veniet*, «verrà su noi l'abissale profondità del tempo», *ep.* 21, 5). Al primo si accosti *brev. vit.* 10, 5: *abit... vita in profundum*, «la vita... se ne va in un abisso»; al secondo *ep.* 99, 10: *propone temporis profundi vastitatem*, «immaginati la vastità abissale del tempo». Nessuno scrittore latino, ch'io sappia, aveva mai fatto un uso così metafisico di questo aggettivo (in Lucrezio, esso apparteneva alla terminologia fisica del vuoto epicureo).[15] Lo erediterà, interiorizzandolo, Agostino

tutti i popoli col ferro e col fuoco?»; *ibid.* 11: *punctum est istud, in quo navigatis, in quo bellatis, in quo regna disponitis*, «un punto è cotesto in cui navigate, in cui combattete, in cui distribuite regni»; 4 B, 11, 4: *terram cogitaverit tenere puncti locum*, «penserà che la terra occupa lo spazio di un punto»): anello di una catena che va dal *Somnium Scipionis* (Cic. *rep.* 6, 16) a Plinio il Vecchio (2, 174), da Marco Aurelio (8, 21, 3) a Boezio (*cons.* 2, 7), e confluirà in Dante. Cfr. A. Traina, *Poeti latini (e neolatini)*, I, Bologna 1986², pp. 305 sgg.; Emanuela Andreoni Fontecedro, *Un esempio di eredità classica: parole, pensieri sul tempo*, «Aufidus» 49, 2003, p. 13 (su Leopardi).

[15] È interessante confrontare la visione cosmocentrica della terra in Cicerone (*rep.* 6, 16: *iam ipsa terra ita mihi parva visa est...*, «già la stessa terra mi è sembrata così piccola...») e in Seneca (*ad Marc.* 25, 2: *in profunda terrarum permittere aciem...*, «abbassare lo sguardo sino al fondo dell'abisso cosmico...»): c'è nel secondo un senso di vertigine che direi pascoliano *ante litteram*, ignoto al primo. Il corrispondente greco di *profundum* in Marc. Aur. 5, 23, 2: τόδε ἄπειρον τοῦ τε παρῳχηκότος ἀχανές, «l'infinito abisso del passato e del futuro» (cfr. anche 4, 50, 5). Sull'uso senecano di *profundus* cfr. P. Mantovanelli, *Profundus.*

(*conf.* 4, 22): *grande profundum est ipse homo*, «l'uomo stesso è un grande abisso».

Dall'insieme di queste metafore emerge il senso acuto di una realtà instabile, di un'esistenza perennemente insidiata; come se, a ogni passo, dovesse mancare il terreno sotto i piedi: *in tanta volutatione rerum humanarum nihil cuiquam nisi mors certum est*, «in tanta fluttuazione delle cose umane niente per alcuno è certo se non la morte» (*ep.* 99, 9). È la proiezione cosmica di una situazione politica, il paradossale contraccolpo che la pace imperiale portò alla classe di Seneca. Da Tiberio a Nerone – e poi sotto Domiziano – le famiglie senatorie vivono una vita precaria, sospesa a un cenno di Cesare. I tiranni e le vittime, le torture e i suicidi lasciano le sale dei declamatori per farsi storia di ogni giorno. Chi ti garantisce il domani? Questo insistente monito senecano non nasce da un astratto moralismo, ma dall'esperienza di chi era stato minacciato da Caligola, esiliato da Claudio e sarà messo a morte da Nerone. Si capisce perché alla saggezza si chiedesse, più ancora che l'arte di vivere, l'arte di morire: *vivere tota vita discendum est et, quod magis fortasse mireris, tota vita discendum est mori*, «ci vuole tutta una vita per imparare a vivere, e, ciò che forse ti stupirà di più, ci vuole tutta una vita per imparare a morire» (*brev. vit.* 7, 3). Nella concretezza di una situazione storico-politica Seneca verificava le ragioni metafisiche della *meditatio mortis* platonica.

4. La saggezza: nella dialettica esistenziale di Seneca è il polo positivo. Tempo e saggezza sono correlati, come il turbine e la rocca (*ep.* 82, 5), come il mare e il porto

Studio di un campo semantico dal latino arcaico al latino cristiano, Roma 1981, pp. 175-200.

(*brev. vit.* 18, 1). Rocca e porto, simboli di stabilità. Non c'è, nella *inrequieta agitatio* del cosmo senecano (*brev. vit.* 10, 6), altro *ubi consistam*. Se il tempo gioca col mondo (*nec hominibus solum, sed mundi partibus ludet, ad Marc.* 26, 6), il saggio può ridersi del tempo (*cum multo risu seriem temporum cogitat*, *ep.* 101, 8). In una ipotetica serie di «trionfi» senecani, anche il trionfo del tempo non sarebbe l'ultimo; ma l'ultimo trionfatore sarebbe il *sapiens*, non Dio.[16]

Il saggio trionfa del tempo perché ne trasforma il valore da quantitativo in qualitativo: *cogita semper qualis vita, non quanta sit*, «pensa sempre alla qualità della vita, non alla sua quantità» (*ep.* 70, 5); *in optimo illam* (*sc. vitam beatam*) *statu ponit qualitas sua, non magnitudo*, «è la qualità, non la grandezza a porre la felicità della vita nella migliore condizione» (*ibid.* 85, 22). Non è la durata che conta, ma l'uso che ne fai: *non esse positum bonum vitae in spatio eius, sed in usu*, «non essere posto il bene della vita nella sua durata, ma nella sua utilizzazione» (*ep.* 49, 10); *quam bene vivas refert, non quam diu*, «importa quanto bene vivi, non quanto a lungo» (*ibid.* 101, 15); *ut satis vixerimus, nec anni nec dies faciunt, sed animus*, «non sono né gli anni né i giorni a misurare la durata della nostra vita, ma l'animo» (*ibid.* 61, 4, cfr. 93, 2); *non ille diu vixit, sed diu fuit*, «non è vissuto a lungo, ma è stato al mondo a lungo» (*brev. vit.* 7, 10). Perciò il saggio non ha bisogno né del passato né del futuro, concentrandosi sul presente per realizzare in ogni giorno, in ogni ora la perfezione della vita morale (*bona mens*): *qui cotidie vitae suae summam manum imposuit, non indiget tem-*

[16] Cfr. R. Di Virgilio, *Romanità dell'effimero in Seneca*, «Paideia» 53, 1998, pp. 167-169 (*L'apoteosi del sapiente*).

pore. Ex hac autem indigentia timor nascitur et cupiditas futuri exedens animum... Quo modo effugiemus hanc volutationem? Uno, si vita nostra non prominebit, si in se colligitur. Ille enim ex futuro suspenditur, cui irritum est praesens... Ideo propera, Lucili mi, vivere et singulos dies singulas vitas puta, «chi ogni giorno ha dato l'ultima mano alla sua vita, non ha bisogno del tempo. Ora da questo bisogno nasce il timore e l'avidità del futuro che rode il cuore... In che modo sfuggiremo a tale fluttuazione? In uno solo, se la nostra vita non si sporgerà in avanti, se si raccoglie in se stessa. Giacché dipende dal futuro chi non realizza il presente... Perciò affrèttati, mio Lucilio, a vivere e considera ogni giorno una vita» (*ep.* 101, 9).[17] Rinunziare al futuro significa resecare dal nostro orizzonte psichico tutti gli eventi che, appunto perché ancora non sono, non dipendono da noi (τὰ οὐκ ἐφ' ἡμῖν, dirà Epitteto), e quindi spostano fuori di noi il baricentro della saggezza. Il prezzo è la condanna della speranza, associata agli effetti negativi del suo πάθος antitetico, il timore: *desines... timere, si sperare desieris*, «cesserai... di temere, se cesserai di sperare» (*ep.* 5, 7); (*sapiens*) *praesentibus gaudet, ex futuro non pendet... Magnis itaque curis exemptus... nihil sperat aut cupit*, «(il saggio) gode del presente, non dipende dal futuro... E perciò liberato da grandi angosce... nulla spera o desidera» (*ben.* 7, 2, 4).[18] Sarà la prospettiva escatologica

[17] Vedi altre testimonianze nel mio commento a *brev. vit.* 7, 9 (Torino 1996[7], rist. 2009) e cfr. Maria Bellincioni, *Educazione alla sapientia in Seneca*, Brescia 1978, pp. 147 sgg.

[18] Dal medesimo topos discendono, per es., Plin. *ep.* 1, 9, 5: *nulla spe, nullo timore sollicitor* e Boeth. *cons.* 1, *m.* 4, 13: *nec speres aliquid nec extimescas.* Anche il mito e la poesia conoscevano una speranza illusoria e dannosa (cfr. *Elpis* in RE, 2454): non a caso ἐλπίς, come *spes*, è *vox media* (cfr. A. Traina, *Lo stile «drammatico» del filosofo Seneca*, Bologna 1987[4], rist. 2011, p. 89).

del Cristianesimo a restaurare la virtù della speranza: *spe enim salvi sumus* (Paul. *Rom.* 8, 24). Ma lo stoicismo non ha domani, né in questa vita né dopo. Arroccato nell'oggi, si difende dal tempo annullandolo. Proprio perché chiuso nella sua perfezione, sottratto al flusso delle cose esterne, l'oggi del saggio è atemporale; l'attimo ben vissuto vale un secolo: *inter brevius et longius tempus nihil interesse iudicat*, «giudica che non c'è differenza tra un tempo più breve e uno più lungo» (*vit. beat.* 21, 1); *stabilita mens scit nihil interesse inter diem et saeculum*, «la mente salda sa che non c'è differenza tra un giorno e un secolo» (*ep.* 101, 9). Al punto di arrivo, come al punto di partenza, ritroviamo Epicuro: l'ucronia del *sapiens*.[19]

Ma dalla valutazione qualitativa del tempo discende un'altra conseguenza, che, ancora una volta, accomuna Seneca più a Epicuro che a Marco Aurelio: il recupero del passato e del futuro come dimensioni psichiche. Il passato, in quanto ben vissuto, e quindi libero dal rimorso, è recuperato dalla memoria: *securae et quietae mentis est in omnes vitae suae partes discurrere*, «è privilegio di una mente serena e tranquilla spaziare in ogni parte della sua vita» (*brev. vit.* 10, 5); e questo passato si estende oltre i confini di una vita, a quanto di bello e di grande ha prodotto l'umanità: *omne aevum suo adiciunt: quicquid annorum ante illos actum est, illis adquisitum est*, «aggiungono al tempo della loro vita ogni età; tutti gli anni alle loro spalle sono un loro acquisto» (*ibid.* 14, 1).[20]

[19] Sulla quale cfr. R. Amerio, *L'epicureismo*, Torino 1953, p. 33 sg. Come e quanto Seneca utilizzi la teoria epicurea sul tempo è bene analizzato da P. Grimal, *Place et rôle du temps dans la philosophie de Sénèque,* «Rev. Ét. Anc.» 70, 1968, pp. 92-109 (= *Rome. La littérature et l'histoire*, Rome 1986, I, pp. 585-602).

[20] Su questo punto, a parziale correzione del Goldschmidt, si è

Anche il futuro, in quanto libero dall'ansia del timore e della speranza, che il saggio ha bandito dal suo animo, è recuperato dalla previsione: *transit tempus aliquod? Hoc recordatione comprendit; instat? Hoc utitur; venturum est? Hoc praecipit. Longam illi vitam facit omnium temporum in unum conlatio*, «è passato del tempo? Lo blocca col ricordo; urge? Ne usa; sta per venire? Lo pregusta. Gli fa lunga la vita la concentrazione di tutti i tempi» (*ibid.* 15, 5). Così l'oggi congloba nella atemporalità del presente anche l'ieri e il domani, e il saggio celebra sul tempo un doppio trionfo, eticamente mediante l'ucronia, intellettualmente mediante l'*omnium temporum conlatio*: *nullum saeculum magnis ingeniis clusum est, nullum non cogitationi pervium tempus*, «nessun secolo è precluso ai grandi ingegni, non c'è tempo che non sia accessibile al pensiero» (*ep.* 102, 22); *sapientis ergo multum patet vita; non idem illum qui ceteros terminus cludit; solus generis humani legibus solvitur, omnia illi saecula ut deo serviunt*, «molto dunque si estende la vita del saggio, non è confinato nei limiti degli altri; lui solo è libero dalle leggi dell'umanità, tutti i secoli ubbidiscono a lui come a dio» (*brev. vit.* 15, 5). *Ut deo*: è l'indiazione, la ὁμοίωσις θεῷ. Ecco perché, come si diceva poc'anzi, l'ultimo trionfo è del saggio e non della divinità: perché il saggio è Dio.[21]

soffermato il Moreau (*op. cit.*, p. 123), sottolineando l'originalità di Seneca nello scoprire «la permanence des valeurs de l'esprit».

[21] Cfr. i testi raccolti da A. De Bovis, *La sagesse de Sénèque*, Paris 1948, p. 214 sg. (si aggiunga *ep.* 124, 23), soprattutto *ep.* 73, 13: *Iuppiter quo antecedit virum bonum? Diutius bonus est; sapiens nihilo se minoris existimat, quod virtutes eius spatio breviore cluduntur*, «Giove in che supera l'uomo buono? È buono più a lungo; il saggio non ha minor stima di sé, perché le sue virtù sono racchiuse in uno spazio più breve», ecc. È caratteristico che Dio sia per Platone il pedagogo dell'universo (*leg.* 10, 897 B, cfr. W. Jaeger, *Cristianesimo primitivo e paideia greca*,

È questo il premio che lo stoicismo fa brillare all'uomo in compenso del più difficile dei comandamenti, quello di amare il proprio destino. Più difficile della *caritas*, che promette la santità a chi ama il suo prossimo: il santo cristiano si realizzò nella storia, ma il saggio stoico rimase una superba utopia.[22]

5. L'antitesi tempo-saggezza corre per tutto il *De brevitate vitae* traducendosi nell'antitesi fra le vittime del tempo, gli *occupati*, e il suo dominatore, il *sapiens*. Si è voluto vedere in questo dialogo[23] un piano articolato in *exordium*, *propositio* e *argumentatio*: può darsi; ma si è anche dovuto riconoscere che «le grandi linee della dimostrazione sono lungi dall'essere immediatamente chiare».[24] Un ordine così confuso è al limite del disordine, e non prova che l'autore ci tenesse molto. Per parte nostra, ci sentiremmo

trad. Boscherini, Firenze 1966, p. 88), il saggio per Seneca il pedagogo dell'umanità (*ep.* 89, 13).

[22] Cfr. *tranq.* 7, 2: *ubi... istum invenies, quem tot saeculis quaerimus?*, «dove... troverai costui, che cerchiamo per tanti secoli?»; *ep.* 42, 1: *ille... tamquam phoenix semel anno quingentesimo nascitur*, «quello... come la fenice nasce una volta ogni cinquecento anni»; Cic. *de or.* 3, 65.

[23] Sotto il nome di *dialogi*, com'è noto, ci è pervenuta una raccolta di dodici libri senecani. *Dialogus* non va inteso in senso platonico e ciceroniano, ma come corrispondente latino della greca διατριβή o διάλεξις, conversazione a sfondo etico-filosofico, come quelle di Epitteto. Ma ora P. Hadot, *Esercizi spirituali e filosofia antica*, trad. it., Torino 1988, p. 47, sottolinea «il carattere dialogico» di ogni esercizio spirituale. Sull'ineludibile connessione dei *dialogi* di Seneca con quelli di Cicerone insiste G. Mazzoli, *Seneca, Dialogi: la forma della crisi*, in M. Rodriguez Pantoja (ed.), *Séneca. Dos mil años después*, Cordoba 1997, pp. 343-353.

[24] P. Grimal, *Introduction* al commento del *De brevitate vitae* (v. Bibliografia), p. 5. Con più ampiezza il Grimal ha esposto le sue idee in *Le plan du De brevitate vitae*, in *Studi Castiglioni*, Firenze 1960, 1, pp. 407-419 (=*Rome. La littérature et l'histoire*, cit., pp. 491-499).

più vicini alla classica opera dell'Albertini, che vedeva nel *De brevitate vitae* un tipo di composizione per associazione di idee.[25] Se c'è un ritmo, è l'alterno ricorrere e intrecciarsi dei motivi che fanno capo ai due antagonisti del dialogo, gli *occupati* e il *sapiens*. Sin dall'inizio l'uso del tempo si pone come il banco di prova della saggezza,[26] come la linea che discrimina chi non sa e chi sa vivere. Da una parte la massa degli affaccendati e dei perditempo, l'impietoso spettacolo dell'alienazione umana (2, 4: *suus nemo est*),[27] il dramma delle vite non vissute (3, 3: *immaturum mori*);[28] dall'altra, in aristocratica solitudine[29] (14, 1: *soli omnium otiosi sunt qui sapientiae vacant, soli vivunt*, «soli fra tutti sono sfaccendati quelli che dedicano il loro tempo alla saggezza, solo essi vivono»), la sovrumana atarassia del saggio (19, 2: *alta rerum quies*). Si direbbe un dittico, se il respiro dell'opera non si configurasse piuttosto come una intermittenza di ombre e di luci.

Alla resa dei conti, la dialettica del dialogo sbocca in un ammonimento che è il senso ultimo dell'intera opera senecana: l'esortazione alla saggezza. Anche il *De brevitate vitae* è un protrettico in forma di diatriba.

[25] E. Albertini, *La composition dans les ouvrages philosophiques de Sénèque*, Paris 1923, p. 258.

[26] L'argomento del c. I è: la vita è breve per chi la dissipa (gli *occupati*), è abbastanza lunga per chi sa usarne (il *sapiens*).

[27] Cfr. anche 20, 1.

[28] Cfr. anche 9, 4 (e *vit. b.* 5, 5: *ultimum malorum est e vivorum numero exire, antequam moriaris*, «ultimo dei mali è uscire dal numero dei vivi prima di morire») e il finale, 20, 6.

[29] Che può confinare con l'egoismo, cfr. 7, 4: *ideo eius vita longissima est quia, quantumcumque patuit, totum ipsi vacavit*, «la sua vita è lunghissima proprio perché, qualunque fu la sua durata, è stata tutta per lui».

6. Fra i *negotia* che rubano il tempo all'uomo e quindi l'uomo a se stesso, ci sono anche gli affari pubblici. Per Roma questa è novità, che capovolge la vecchia gerarchia dei valori quiritari.[30] Il fatto è che la base politica era mutata. Il predominio della vita contemplativa sulla vita attiva (mentre Cicerone scriveva ancora [*off.* 1, 160]: *fit ut agere considerate pluris sit quam cogitare prudenter*, «capita che un agire ponderato conti più di un pensare assennato», e durante la parentesi cesariana si rifugiava nel compromesso dell'*otium cum dignitate*) rispondeva alla condizione di una classe che, allontanata dalla stanza dei bottoni, cercava la giustificazione razionale di una forzata rinunzia (a parte i pochi che preferivano la via rischiosa dell'opposizione). Altrove Seneca dibatterà a lungo il problema, per lui tormentoso, se il saggio debba occuparsi di politica;[31] nel *De brevitate vitae*, la netta condanna della vita pubblica, se riflette, in generale, il capovolgimento ideologico accennato, in particolare è legata a due fatti contingenti: la dedica a Paolino e la data di composizione.

Chi era Paolino? Seneca ci dice solo che era un alto funzionario imperiale (18, 3: *orbis terrarum rationes administras*), preposto al delicato ufficio del vettovagliamento (18, 5: *cum ventre tibi humano negotium est*). Per il dialogo, è quanto basta. Ma sembra, con buona approssimazione, che si possa identificare con Pompeo Paolino, appartenen-

[30] Questo problema è stato trattato da J.-M. André, *Recherches sur l'otium romain*, Paris 1962: sul *De brevitate vitae* pp. 37-42. Vi sono anche notevoli osservazioni lessicali.

[31] Soprattutto nel *De otio* e qua e là nelle *Epistulae*: cfr. I. Lana, *Lucio Anneo Seneca*, Torino 1955 (rist. Bologna 2010), pp. 259 sgg.; J.-M. André, *Otium et vie contemplative dans les Lettres à Lucilius*, «Rev. Ét. Lat.» 40, 1962, pp. 125 sgg.; I. Dionigi, *Introduzione* a Seneca, *De otio*, Brescia 1983.

te alla ricca borghesia di Arles e forse prefetto dell'annona dal 48 al 55, padre, o fratello, di quella Paolina che sposò Seneca, di molti anni più vecchio, forse dopo il 58.[32]

E nel 49 cade la più verosimile delle date proposte per la composizione. In quell'anno Claudio incluse l'Aventino nel pomerio; ma Seneca non ne fa menzione nel c. 13, pur riferendo di aver udito da un conferenziere (*his diebus audivi quendam referentem*) perché l'Aventino era rimasto fuori del pomerio. D'altra parte, ai primi del 49 Seneca torna dall'esilio, dove certo non c'era occasione di udire conferenze.[33] Dunque il dialogo sarebbe stato scritto fra i due avvenimenti, nel corso del 49. L'altra datazione più accreditata (lasciamo ad altri il gioco fragile e brillante delle ipotesi)[34] è il 62, l'anno del definitivo ritiro dalla vita pubblica. In entrambi i casi è un Seneca deluso, che si lascia alle spalle una drammatica esperienza e fa voti di dedicarsi interamente agli studi filosofici (per il 49

[32] Su Pompea Paolina e la data del suo matrimonio con Seneca cfr. I. Lana, *Seneca e i giovani*, Venosa 1997, p. 206 sg.

[33] Si è obiettato (Castiglioni) che la conferenza potrebbe essere solo un artificio retorico. Può essere: ma se cominciamo a invalidare i dati del testo, tutto è sostenibile.

[34] Per la rassegna delle datazioni una comoda sinossi in F. Giancotti, *Cronologia dei Dialoghi di Seneca*, Torino 1957. Per il 49 è l'autore della più recente cronologia senecana, P. Grimal, *Sénèque ou la conscience de l'Empire*, Paris 1978, pp. 280 sgg. (trad. it., Milano 1992, pp. 185 sgg.). G. Letta, *Seneca tra politica e potere: l'evoluzione del pensiero di Seneca sul principato nelle opere in prosa anteriori al De clementia*, in S. Audano (ed.), *Seneca nel Bimillenario della morte*, Pisa 1998, p. 71, fissa la data del dialogo «nei primi mesi del 49, subito dopo il ritorno di Seneca dall'esilio», mentre C. Padilla Carmona, *La fecha de composición del De brevitate vitae*, in Rodriguez Pantoja, *op. cit.*, pp. 379-386 fa un passo indietro tornando al 62. Dell'argomento P. Grimal si era occupato in un articolo del 1947 (*La date du De brevitate vitae*) ristampato in *Rome. La littérature et l'histoire*, cit., II, pp. 501-514.

cfr. la notizia degli *schol. Iuv.* 5, 109, che Seneca, reduce dalla Corsica, intendeva recarsi ad Atene;[35] per il 62 cfr. il discorso di Seneca a Nerone in Tac. *ann.* 14, 54). Nel 49, fu proposito illusorio; ma Seneca non poteva saperlo.

7. Il moralismo è una moneta che si logora presto. Quante variazioni sul tema del *conserva tempus* (*Eccles.* 4, 23): dalla esotica immagine di Omar Khayyām («la vita passa, misteriosa carovana: rubale il suo attimo di gioia!») alla massima pratica di B. Franklin: «time is money». Che aggiunge Seneca a una saggezza così antica?

Prima di tutto, è uno scrittore di razza. Lo stoicismo non aveva uno stile, a giudizio di un competente come Cicerone,[36] e Seneca glielo ha dato.[37] Cioè non gli ha dato solo una retorica, come pareva al Brunschvicg,[38] ma una formulazione epigrammatica che trasforma la frase in aforisma e l'incide nella memoria, come uno κτῆμα εἰς

[35] La notizia è sfruttata particolarmente da M. Pohlenz, *Philosophie und Erlebnis in Senecas Dialogen*, «Nachr. Akad. Wiss. Göttingen», Phil.-hist. Kl., 1941, 6, p. 82.

[36] *Brut.* 118-120; *par.* 2; *de or.* 3, 66: *orationis... genus habent fortasse subtile et certe acutum, sed, ut in oratore, exile, inusitatum, abhorrens ab auribus vulgi, obscurum, inane, ieiunum*, «hanno uno stile... forse schietto, certo acuminato, ma, per un oratore, scarno, insolito, lontano dalle orecchie del pubblico, oscuro, inconsistente, magro». Di Crisippo Seneca disse: *etiam cum agere aliquid videtur, pungit, non perforat*, «anche quando sembra avere qualche effetto, punzecchia, non trafigge» (*ben.* 1, 4, 1). Perciò, contro C.N. Smiley, *Seneca and the Stoic Theory of Literary Style*, «Univ. Wisconsin Stud.» 3, Madison 1919, starei col Grimal, *Sénèque et la pensée grecque*, «Bull. Budé» 1964, p. 324: Seneca, come Cicerone, rimprovera allo stoicismo «son inhumaine sécheresse». Sulla retorica stoica e i suoi rapporti con Seneca cfr. Gabriella Moretti, *Acutum dicendi genus*, Bologna 1995.

[37] Aubenque, *op. cit.*, p. 92.

[38] *Le progrès de la conscience dans la philosophie occidentale*, Paris 1953², I, p. 57.

ἀεί. Il martellamento delle anafore, il cozzo delle antitesi, la specularità delle figure etimologiche dilatano la semanticità dei concetti e illuminano sempre nuovi aspetti di vecchie verità: *tamquam semper victuri vivitis*, «vivete come destinati a vivere sempre» (*brev. vit.* 3, 4); *omnia tamquam mortales timetis, omnia tamquam immortales concupiscitis*, «avete paura di tutto come mortali, voglia di tutto come immortali» (*ibid.*); *vivere tota vita discendum est, et, quod magis fortasse mireris, tota vita discendum est mori*, «ci vuole tutta una vita per imparare a vivere, e, ciò che forse ti stupirà di più, ci vuole tutta una vita per imparare a morire» (*ibid.* 7, 3); *non ille diu vixit, sed diu fuit*, «non è vissuto a lungo, ma è stato al mondo a lungo» (*ibid.* 7, 10); (*tempus*) *quasi nihil petitur, quasi nihil datur*, «(il tempo) si chiede come fosse niente, si dà come fosse niente» (*ibid.* 17, 5). Questi sono i *salutaria carmina* (9, 2) della *sapientia*, le armi con cui Seneca combatte la sua battaglia per la salvezza laica dell'uomo.[39] Se è vero che,

[39] Dello stile di Seneca ho trattato nella mia prolusione *Lo stile «drammatico» del filosofo Seneca*, «Belfagor» 19, 1964, pp. 625-643 (rielaborata e ristampata con lo stesso titolo, v. n. 18). Cito qualcuno fra i lavori più utili: O. Rauschning, *De Latinitate L. Annaei Senecae philosophi*, Regimonti 1876; H. Weber, *De Senecae philosophi dicendi genere Bioneo*, Marpurgi 1895; W.C. Summers, *Select Letters of Seneca*, London 1910 (rist. 1962), pp. XLII-XCV; F. Steiner, *Der «moderne» Stil des Philosophen Seneca*, Rosenheim 1913; L. Castiglioni, *Studi intorno a Seneca prosatore e filosofo*, «Riv. Filol. Class.» 52, 1924, pp. 350-382 (= *Seneca. Letture critiche*, cit., pp. 97-126); A. Setaioli, *Seneca e lo stile,* in *ANRW* II, 32, 2, 1985, pp. 776-858 (= *Facundus Seneca*, Bologna 2000, pp. 111-217); Mireille Armisen-Marchetti, *Sapientiae facies. Étude sur les images de Sénèque*, Paris 1989. Raccolta di materiali in G. Andria, *Atteggiamenti espressivi di Seneca il filosofo. Proverbi, metafore e similitudini*, Salerno 1978. Ulteriore bibliografia a p. 8 dello *Stile «drammatico»*, cui si aggiungano due articoli di Mireille Armisen-Marchetti (*Des mots et des choses: quelques remarques sur le style du moraliste Sénèque*, «Vita Latina» 141, 1996, pp. 5-13; *La*

sotto il Terrore, gli intellettuali francesi confortavano con la lettura di Seneca l'attesa della ghigliottina,[40] non fu una battaglia perduta. E non sappiamo se dovremo combatterla ancora.

In secondo luogo, Seneca non è solo un moralista, o meglio, lo è come tutti i grandi moralisti, in senso etimologico: un indagatore di *mores*, prima ancora che il banditore di una morale. Piuttosto che vederlo nell'atteggiamento fustigatorio in cui lo vide uno che non gli fu amico, Quintiliano (10, 1, 129: *egregius... vitiorum insectator*), ci piace ricordare una sua massima di provenienza epicurea (*ep.* 28, 9): *deprehendas te oportet, antequam emendes*, «bisogna che tu ti colga in fallo, prima di correggerti». Ecco: Seneca ci aiuta a coglierci in fallo, prima di correggerci, facendoci conoscere meglio il volto dell'uomo sotto le sue tante maschere: *nemo potest personam diu ferre*, «nessuno può portare a lungo la maschera» (*clem.* 1, 1, 6); *non hominibus tantum, sed rebus persona demenda est*, «si deve togliere la maschera non solo agli uomini, ma alle cose» (*ep.* 24, 13).[41] Non dunque i peccati sono il

langue philosophique de Sénèque entre technicité et simplicité, «Ant. und Abendl.» 42, 1996, pp. 78-84) e uno di M. von Albrecht (*Sulla lingua e lo stile di Seneca*, in P. Parroni (ed.), *Seneca e il suo tempo*, Roma 2000, pp. 227-247, dove si ribadisce l'indissolubilità di stile e pensiero in Seneca).

[40] G. Scarpat, *La lettera 65 di Seneca*, Brescia 1970², p. 36.

[41] Cfr. anche *ep.* 76, 32: *nudum inspice*, «guardalo nudo»; 80, 8: *omnium istorum personata felicitas est*, «la prosperità di tutti costoro ha la maschera». Se ne ricorderà Montaigne: «Il faut oster la masque aussi bien des choses que des personnes» (1, 20). (Sul valore di *persona* in Seneca cfr. Maria Bellincioni, *Il termine persona da Cicerone a Seneca*, in AA. VV., *Quattro studi latini*, Parma 1981, pp. 37-155 = *Studi senecani e altri scritti*, Brescia 1986, pp. 35-102); G. Mazzoli, *«Persona»: vicende di un lessema metaforico*, in Silvana Rocca (ed.), *Didaxis XVI*. Atti del Congresso, Genova 2001, pp. 11-26.

soggetto della sua opera, ma i peccatori nella varietà e concretezza delle loro situazioni psichiche. Seneca è un moralista doppiato da uno psicologo. Le morali passano, ma l'uomo resta.

Infine, Seneca è un artista. Come Teofrasto e La Bruyère, ha il dono della descrizione, di fermare nella parola un gesto, un'espressione, un atteggiamento. La tradizione è diatribica, ma l'arte è di Seneca. Frammenti di mimi danno alla sua pagina il sapore della vita. Ecco il patrono assonnato che sbadiglia in faccia al cliente il saluto del mattino (*brev. vit.* 14, 4); il vecchio in pensione che si fa celebrare il funerale *ante eventum* (*ibid.* 20, 4); l'uomo importante che fra un impegno e l'altro sospira: «non ho il tempo di vivere» (*ibid.* 7, 6); l'effeminato che dal barbiere controlla il posto di ogni capello (*ibid.* 12, 3). In una umanità remota riconosciamo le nostre manie: il collezionista (12, 2), il capellone (12, 3), il fanatico delle canzoni (12, 4), il giocatore di scacchi (13, 1), lo sportivo (13, 1) e, perché no?, il filologo (13, 2).

ALFONSO TRAINA

CRONOLOGIA SENECANA

Ultimi anni a.C. Nasce in Spagna, a Cordova, città di tradizione repubblicana: il padre, Seneca il Retore, appartiene al ceto equestre. Dei due suoi fratelli, il minore, Marco Anneo Mela, sarà il padre del poeta Lucano.

Primi anni dell'era volgare. La famiglia si trasferisce a Roma dove il futuro filosofo riceve i primi insegnamenti dallo stoico Attalo, da Sozione e da Papirio Fabiano, appartenente alla setta stoico-pitagorica dei Sestii, caratterizzata da tendenze ascetiche.

14 d.C. Morte di Augusto e successione di Tiberio.

26 Terminati gli studi, S. si reca in Egitto, presso uno zio materno, governatore di quella provincia.

31 Ritorno dall'Egitto e inizio del *cursus honorum* con la questura.

37-41 Principato di Caligola.

39 Un discorso forense troppo libero (per alcuni troppo bello) di S. irrita Caligola: lo salva dalla morte una amante dell'imperatore indicando nella cagionevole salute dell'oratore i segni di una morte imminente. La malattia doveva essere reale perché lo stesso S. la ricorda nelle *Epistulae ad Lucilium.*

40 (?) Scrive la *Consolatio ad Marciam* (figlia dello stoico Cremuzio Cordo) cui era morto un figlio. Sono già evidenti i temi esistenziali comuni alle altre due *Consolationes* (caducità e precarietà della vita, inevitabilità e liberazione della morte, ecc.) con una clausola di grande respiro cosmico.

41-54 Principato di Claudio.

41-49 Esilio in Corsica di S. coinvolto dall'imperatrice Messalina, moglie di Claudio, nell'accusa di adulterio con Giulia Livilla, figlia di Germanico e sorella di Caligola, donna fascinosa nonché promotrice di una forte e autorevole opposizione politica all'imperatore.

41-48 Agli anni dell'esilio risalgono, alcune con certezza – pur rimanendo fluida la datazione precisa – altre solo ipoteticamente, non poche opere:

– iniziati forse prima dell'esilio, scritto il terzo libro a distanza dai primi due, ma pubblicati forse solo nel 41, anno della morte di Caligola, sono i tre libri del *De ira,* in cui si studiano i meccanismi delle passioni umane (l'ira viene analizzata in particolare nel libro III) e i rimedi per controllarle. Si può considerare un manuale di psicologia stoica.

– Ai primi anni dell'esilio sembrano appartenere la *Consolatio ad Helviam matrem* (42), che intende tranquillizzare la madre esaltando il valore della vita contemplativa, e la *Consolatio ad Polybium* (43), l'influente liberto di Claudio cui S. si rivolge per consolarlo della morte del fratello e fors'anche per ottenere il ritorno a Roma con adulazioni indirette all'imperatore.

49 Per intervento di Agrippina (divenuta moglie di Claudio), S. ottiene il ritorno dall'esilio a Roma, ove inizia la sua attività di pedagogo del giovane e futuro imperatore Nerone.

49-54 A questi anni di propedeutica senecana al principato neroniano appartengono il *De constantia sapientis* e, forse, il *De brevitate vitae* (che altri però datano intorno al 62).

54 Morte di Claudio e inizio del principato di Nerone: S. scrive, forse anonimamente, la satira menippea (in prosa alternata a versi in vari metri) *Apokolokyntosis* (= *Zucchificazione*, paronomasia di *Apotheosis*) che i codici hanno tramandato col titolo *Ludus de morte Claudii.* È la rivincita del filosofo nei confronti dell'imperatore che lo aveva esiliato e un preparare il terreno al futuro imperatore.

54-59 I primi cinque anni dell'impero neroniano sono fortemente influenzati, in positivo, dalla figura pedagogica e intellettuale di S.: sono forse di questi anni il *De tranquillitate animi* (per altri l'opera è più tarda), il *De clementia*, il *De vita beata* e l'inizio del *De beneficiis*, terminato nel 64.

59 Uccisione di Agrippina da parte di Nerone: da questo momento, se non proprio per questo episodio, i rapporti fra il filosofo e l'imperatore si vanno sempre più deteriorando.

62 Dopo la morte di Burro, con ormai Nerone nelle mani di Poppea, S. si ritira a vita privata, divenuto sempre meno influente come consigliere dell'imperatore.

62-65 Gli anni del ritiro sono caratterizzati da un'intensa attività culturale: *De otio*, *Naturales quaestiones*, *Epistulae ad Lucilium*, *De providentia*, continuazione e conclusione del *De beneficiis.*

65 Suicidio di S., impostogli da Nerone che lo ritiene coinvolto nella «congiura dei Pisoni», di cui S. era forse solo informato. La morte di S. è notoriamente descritta in una delle più suggestive pagine di Tacito (*Ann.* 15,62-64).

? Composizione delle tragedie.

VOCI DELLA CRITICA

I

Il pensiero che la maggior parte degli uomini si abbrevia da se stessa la vita per la sua follia, sarà passato abbastanza spesso per la mente di Seneca negli ultimi anni in Corsica. Ora a Roma in Paolino gli veniva immediatamente davanti agli occhi l'immagine dell'uomo che anche in vecchiaia per le sue alte funzioni non riserva un momento per la sua vita interiore. Perciò ha elaborato il suo scritto e l'ha appuntito in un ammonimento a Paolino. Ma non è certo un caso che questa parte finale, in cui si rivolge a Paolino, si distingue dalle argomentazioni generali. Esteriormente come interiormente. Giacché in precedenza Seneca non pensa in prima linea all'attività dei funzionari statali, ma, accanto al lavoro quotidiano degli uomini d'affari, a quelli *quorum otium occupatum est*, quelli che sciupano il tempo nella molteplicità di vane occupazioni e nell'insensata agitazione della vita sociale, senza produrre qualcosa di utile (12-13 e anche 7). Ciò che collega le due parti è in verità solo il pensiero: *numquam illis recurrere ad se licet* (2, 3). Appunto la necessità di ritirarsi in se stesso e il desiderio di avere per sé un'ora di quiete è qualcosa a cui Seneca anche più tardi torna sempre di nuovo,[1] e noi

[1] Cfr. per es. *de otio*, 1, 1; *nat. quaest.* IV, *pr.* 20: *in se recedendum est* (l'ha rincarato in *immo etiam a se recedendum*).

possiamo senz'altro comprendere, se questo stato d'animo gli venne soprattutto nel tempo in cui la rumorosa agitazione della capitale voleva trarlo di nuovo a sé.

[da M. Pohlenz, *Philosophie und Erlebnis in Senecas Dialogen* (1941), in *Kleine Schriften*, Hildesheim 1965, I, p. 413].

II

Lo stato d'animo da cui nasce il dialogo *Sulla brevità della vita* è molto complesso. Da una parte confluisce in esso l'esperienza settennale dell'esilio: l'uomo a tutto si abitua, anche alle condizioni di vita più disperate, più avvilenti: egli cerca di trarre un vantaggio dalla situazione presente, quale che essa sia; dall'altra la speranza della revoca dell'esilio si era fatta sempre più viva man mano che la potenza di Messalina declinava: dopoché Polibio, che non aveva accolto la sua supplica, scomparve; dopoché Messalina fu uccisa; dopoché Agrippina con l'appoggio di Pallante cominciò ad avere il sopravvento vincendo anche la potenza di Narciso (il liberto nemico di Seneca), la probabilità del richiamo si fece sempre maggiore. Agrippina era sospettosa, però: essa voleva essere sola a dominare su Claudio, cioè a reggere l'impero (non avrebbe tollerato, accanto a sé, un «direttore di coscienza», come l'autore del *de ira* sembrava voler diventare). Questo Seneca lo sa: Seneca conosce l'ancor giovane imperatrice (al momento del matrimonio con Claudio essa ha trentadue anni) fin da quando era poco più che adolescente, soprattutto dagli anni del principato di Caligola: perciò non ignora la sua sete di potere. Ma essa non ha nulla da temere, per quanto riguarda Seneca: egli non è più quello di dieci, di otto anni addietro: è così lontano, ormai, dal desiderare di immergersi nella politica!

[da I. Lana, *Lucio Anneo Seneca*, Torino 1955, p. 161]

III

Nel momento in cui Seneca comincia a esporre a Lucilio i primi elementi della spiritualità stoica, le sue prime parole sono per esortare il suo amico a stabilire un'economia severa del suo tempo: «Fa' così, mio caro Lucilio,» gli dice «restituisciti a te stesso e fa in modo che il tempo che, prima, ti era strappato o rubato o che si perdeva, sia raccolto da te e conservato».[2] Le due realtà, quella della persona (*vindica te tibi*) e quella del tempo, sono dunque indissolubilmente legate qui da Seneca, come se il tempo fosse il luogo per eccellenza di ogni essere particolare e se, per liberare l'anima e assicurarle la sua autonomia, occorresse cominciare a liberare la persona dalla costrizione del tempo. La prima lettera della raccolta è tutta dedicata a questo tema del tempo, alla necessità di non dissipare questo dono della natura. [...] Una meditazione sul tempo appare dunque come una propedeutica necessaria per chi s'impegna sulla via della filosofia. E, su questo punto, le *Lettere a Lucilio* non fanno che riprendere l'andamento e quasi gli stessi termini del trattato su *La brevità della vita.*

Noi leggiamo così nel *De brevitate vitae*, al II capitolo: «... sicché, secondo la parola, degna di un oracolo, pronunziata dal più grande dei poeti, è la minima parte della

[2] *Ad Lucil.* I, 1.

nostra vita quella in cui viviamo»,[3] e nella *Lettera a Lucilio*: «Del resto, fa' attenzione: la parte più considerevole della vita si passa a far male, una larga parte a non far niente, tutta la vita a far altro».[4] Altro, cioè, sicuramente, altro da quello che comporta la nostra vocazione d'uomo – altro dal «vivere», nel senso più pieno. È precisamente quello che risulta dall'accostamento al testo parallelo del *De brevitate vitae.* Il tempo veramente vissuto merita lui solo il nome di tempo, tutto il resto non è che durata inerte.

Da un altro punto di vista ancora l'esortazione a vivere secondo la filosofia è collegata, tanto nelle *Lettere a Lucilio* che nel *De brevitate vitae*, al problema del tempo. Attraverso il tempo, effettivamente, si vivrà l'esperienza della morte. Leggiamo nella stessa *Lettera a Lucilio*: «Mi citerai un uomo che attribuisca un valore reale al tempo, che pesi il prezzo di una giornata, che comprenda di morire un po' ogni giorno? Questo è, difatti, l'errore: non vediamo la morte che davanti a noi, mentre è in gran parte cosa passata»,[5] e, nel *De brevitate vitae:* «Vivete come se doveste vivere sempre, mai vi viene l'idea della vostra fragilità, non notate quanto tempo è già passato».[6] Abbastanza curiosamente, il «prezzo del tempo» è colto grazie alla morte, che ne è la negazione stessa. Questo sentimento, esasperato volutamente sino all'angoscia, al fine di provocare la «conversione» totale alla vita filosofica, trova, nei due testi, un'espressione vicina: «Sprecate il tempo come se ne aveste da vendere, mentre forse questo stesso

[3] *Brev. vitae* II, 2.

[4] *Ad Lucil.* I, 1. Abbiamo seguito la traduzione di H. Noblot, Les Belles Lettres, Paris 1945, salvo per le quattro ultime parole (*tota vita aliud agentibus*).

[5] *Ibid.*, 2. Trad. Noblot.

[6] *Brev. vitae* III, 4.

giorno, di cui fate dono a qualcuno o a qualche cosa, è l'ultimo» scrive Seneca nel *De brevitate vitae*,[7] e in una delle prime *Lettere a Lucilio* leggiamo: «Per questo ogni giorno deve essere disposto come se chiudesse la marcia, se mettesse il termine e il colmo alla nostra vita».[8]

Tutti questi accostamenti, che si potrebbero moltiplicare, provano l'importanza attribuita da Seneca a una meditazione sul tempo all'inizio della «ascesa» verso la saggezza.

[da P. Grimal, *Place et rôle du temps dans la philosophie de Sénèque* (1968), in *Rome. La littérature e l'histoire*, Rome 1986, I, pp. 585-587]

IV

Ciò che fa su questo punto l'originalità di Seneca, ciò che l'oppone a Marco Aurelio, è che non è necessario, secondo lui, per usare bene il tempo presente, escludere dal suo orizzonte il passato e l'avvenire. È possibile prendere una decisione nel presente senza considerarne le conseguenze nell'avvenire? L'avvenire non è necessariamente compreso, anticipato, nel tempo dell'azione, il tempo operativo? Ma i fini che si propone nell'avvenire, il saggio si guarda dal desiderarli; per questo sfugge all'inquietudine, alle fluttuazioni della speranza e del timore: non gli è necessario sperare per intraprendere.[9] E per quanto riguarda il

[7] *Ibid.*, III, 4.
[8] *Ad Lucil.* XII, 8.
[9] *Epist.*, 5, 8-9: La previdenza, indispensabile all'azione, è corrotta dal timore ansioso dell'avvenire.

passato, il suo ricordo non turba che quelli che ne hanno fatto cattivo uso; ma il saggio ama volgersi indietro al suo passato; questa parte della sua vita, dice Seneca, è santa e consacrata; ne ha il possesso perpetuo e senza turbamenti.[10] Ma non è tutto: il passato dell'umanità intera, tutti i secoli trascorsi, tutto il corso della storia è presente al suo pensiero, estende il suo orizzonte e la durata della sua vita.[11] Su questo punto si accusa ancora il contrasto con lo stoicismo di Marco Aurelio. Per l'imperatore disilluso, lo spettacolo della storia è quello della fragilità delle cose umane, della vanità della gloria;[12] per Seneca, ci scopre la permanenza dei valori dello spirito. «Io posso» dice «discutere con Socrate, dubitare con Carneade, riposarmi con Epicuro, con gli Stoici vincere la natura umana, coi Cinici oltrepassarla.[13]» [...] Lo spettacolo della storia è scoraggiante se si guarda solo alla successione delle azioni esteriori, al destino dei principi e alla sorte degli imperi, se si fa astrazione dalla vita interiore dell'umanità, attestata dalle grandi opere del pensiero.

[da J. Moreau, *Sénèque et le prix du temps*, «Bull. Ass. Budé» 1969, pp. 122 sg.]

V

Il titolo, come spiega lo stesso Seneca (1, 1), si riferisce a una protesta portata contro la natura dalla maggior parte

[10] *Brev. vit.*, 10, 3-4. Cfr. Epicuro, *Sent. Vat.*, 17.
[11] *Brev. vit.*, 14, 1-2.
[12] Marco Aurelio, IV, 32-33.
[13] *Brev. vit.*, 14, 2.

degli uomini, i *clari viri*, quanto la *turba et imprudens vulgus*. Seneca sostiene che la protesta è ingiustificata: c'è abbastanza tempo se non è sciupato. Il solo modo proficuo di spendere il nostro tempo è l'acquisto e la pratica della *sapientia*: questo è il vero *otium*; ogni altra cosa – vita politica, attività letteraria, la ricerca del lusso e del piacere che costituisce il volgare *otium* – è da respingere. La forza di questa antitesi è acuita dall'uso paradossale che Seneca fa del linguaggio: l'*occupatio* e il *negotium*, normalmente piuttosto incolori ma rispettabili, diventano i termini generici per tutte queste attività disparate, permettendo così all'*otium* di essere purgato dai suoi aspetti più spregevoli. Il tempo speso in scarrozzate, cantate e banchetti non è chiamato *otiosa vita* ma *desidiosa occupatio* (12, 2) e *iners negotium* (12, 4);[14] l'*officium* con le sue onorevoli connotazioni è trasferito allo studio della filosofia, sicché i *vera officia* (in quanto opposti ai più volgari *officia* in 7, 4; 14, 3) sono coestensivi con l'*otium*: *hos in veris officiis morari putamus... qui Zenonem, qui Pythagoran, cotidie, et Democritum ceterosque antistites bonarum artium, qui Aristotelen et Theophrastum volent habere quam familiarissimos* (14, 5). Come mostra questa frase, Seneca non raccomanda la filosofia stoica in particolare,[15] né offre una discussione filosofica nell'opera. Se il dialogo deve avere un'etichetta, allora *protrepticus*

[14] Come J.-M.André, *Recherches sur l'otium romain*, Paris 1962, pp. 40-1, fa notare, Seneca mantiene i valori romani nel caratterizzare gli appassionati di tali cose come i più vergognosamente *occupati* (7, 1; 12).

[15] Cfr. anche 14, 2. L'ideale che Seneca propone ha, comunque, definiti caratteri stoici. K. Abel, *Gym.* 72 (1965), 325, segnala *amor virtutium* in 19, 2; e *profectus animi* (20, 6). Nota anche l'ipotesi metafisica in 19, 1.

[scritto esortatorio] è il meno inesatto,[16] benché non accenni alla maniera prevalentemente satirica e di fatto apotreptica [dissuasoria] dell'opera.[17]

[da Miriam T. Griffin, *Seneca. A Philosopher in Politics*, Oxford 1986, pp. 317 sg.]

VI

Seneca, qui come altrove, appare come un rappresentante fedelissimo della dottrina stoica. [...] Negli Stoici, il tempo coincide con l'azione. Chi agisce di più è chi abbraccia più tempo. Dio, che agisce per eccellenza, è eterno. Abbraccia tutta la catena delle cause. Il saggio procede in modo simile, anche nell'istante. Per un uomo che, grazie alla sua ragione, coglie il legame che unisce la totalità dei fenomeni, l'istante è esso stesso portatore d'eternità. Seneca esprime queste idee con molta forza nella *Consolazione ad Elvia*, VIII, 4: «Ciò che l'uomo possiede di meglio sfugge al potere umano; non si può né darlo né toglierlo. Questo firmamento che è ciò che v'è di più grande e di più ornato in tutto quello che la natura ha generato, questa anima che contempla e ammira il firmamento e che ne è la parte più magnifica ci appartengono in proprio, per sempre, e devono restare con noi per tutto il tempo che noi rimarremo noi stessi». Insomma, noi possediamo l'eterno in un modo particolare: le stesse

[16] Così H. Dahlmann, *Über die Kürze des Lebens*, Munich 1949, pp. 18 sgg.; P. Grimal, *De Brevitate Vitae*[2], Paris 1966, p. 5; K. Abel, *op. cit.*, pp. 318, 324.

[17] Un'osservazione fatta da Abel, *op. cit.*, p. 326; André, *L'otium romain*, p. 41.

leggi della costanza, virtù fondamentale dello Stoicismo, fanno che sia inalienabile, che non possiamo né perderlo, né venderlo, né darlo.

Quindi, l'istante contiene l'eternità. Ciò vale in particolare per l'esperienza della cultura. Seneca ce lo indica nel *De brevitate vitae*, XIV, 1: «Nessun secolo ci è precluso, siamo ammessi in tutti e se ci piace, per grandezza d'animo, di uscire dagli stretti limiti della debolezza umana, abbiamo un vasto spazio di tempo che possiamo percorrere»; 2: «ci è permesso di discutere con Socrate, di dubitare con Carneade, di riposarsi con Epicuro, di vincere la natura con gli Stoici, di oltrepassarla coi Cinici...». Ci sono molti modi di concepire la frequentazione dei libri. Ci possono apparire come degli stranieri, dei testimoni del passato. Ma è anche permesso di considerarli come i rappresentanti e i garanti dell'unità della ragione umana. Seneca si accosta alla cultura in uno spirito che gli è ispirato dalla natura stessa della sua filosofia. Una simile esperienza ha influito su molti uomini nella storia. Non potrebbe lasciarci indifferenti.

[da A. Michel, *Quelques aspects de la conception philosophique du temps à Rome: l'expérience vécue*, «Rev. Ét. Lat.» 57, 1979, pp. 329-330].

BIBLIOGRAFIA

Su tutte le questioni concernenti il *De brevitate vitae* la rassegna critica più recente e autorevole è quella di J.-M. André, *Sénèque: «De brevitate vitae», «De constantia sapientis», «De tranquillitate animi», «De otio»*, in W. Haase (a cura di), *Aufstieg und Niedergang der römischen Welt* (sigla ANRW), II 36, 3, Berlin-New York 1989, pp. 1724-1778 (ivi altre rassegne senecane, fra cui F.-R. Chaumartin, *Quarante ans de recherche sur les oeuvres philosophiques de Sénèque*, pp. 1545-1605).

EDIZIONI, COMMENTI, TRADUZIONI MODERNE

Dialogorum libri XII, ed. E. Hermes, Lipsiae 1905[1], 1923[2].

Dialogorum libri X, XI, XII, ed. by J.D. Duff, Cambridge 1915.

Dialogues, II, Texte établi et traduit par A. Bourgery, Paris 1923[1], 1949[3] (rist. 1980).

De la brevetat de la vida, *De la vida benaurada*, *De la providéncia*, text i trad. del Dr. C. Cardò, Barcelona 1924.

Della brevità della vita, testo critico, introduzione e commento di G. Ammendola, Napoli 1930.

Della tranquillità dell'anima, *Della brevità della vita*, testo e versione di L. Castiglioni, Torino 1930[1], Brescia 1968[2].

Moral Essays, translated by J.W. Basore, II, London-Cambridge Mass. 1932 (rist. 1958).

Dialogues I, II, VII, VIII, IX, X, Text Emended and Explained by W.H. Alexander, Berkeley and Los Angeles 1945 (pp. 81-91 il *De brevitate vitae*).

Dialogorum libri IX-X, rec. L. Castiglioni, Torino 1948[1], 1960[2].

De brevitate vitae, Einleitung, Übersetzung und Erläuterungen von H. Dahlmann, München 1949.

Dialoghi, trad. di Augusta Mattioli, Milano 1958, vol. III.

De brevitate vitae, Édition, introduction et commentaire de P. Grimal, Paris 1959[1], 1966[2].

Les Stoïciens, textes traduits par É. Bréhier, édités sous la direction de P.-M. Schuhl, Paris 1962 (pp. 693-720 la traduzione del *De brevitate vitae*).

La brevità della vita, con un'antologia di pagine sul tempo, commento di A. Traina, Torino, Loescher 1970[1], 1996[7], rist. 2001.

Dialoghi, edizione critica con traduzione e note a cura di Nedda Sacerdoti, Milano s.d. (ma 1971), vol. II, pp. 252 sgg. (= *Dialoghi*, vol. I, Milano 1990).

Operette morali, testo latino riveduto, introduzione, traduzione e note a cura di R. Del Re, Bologna 1971, vol. III.

De brevitate vitae, lateinisch und deutsch von F.P. Waiblinger, München 1976.

Dialogorum libri XII, rec. L.D. Reynolds, Oxonii 1977.

I dialoghi, a cura di R. Laurenti, Bari 1978.

I dialoghi, introduzione, traduzione e note di A. Marastoni, Milano 1979[1], 1986[2] (la traduzione è ristampata in Seneca, *Tutti gli scritti in prosa*, a cura di G. Reale, Milano 1994, pp. 299-331 e parzialmente in Seneca, *Breviario*, a cura di G. Reale, Milano 1994, pp. 205-211).

La serenità dello spirito, La brevità della vita, traduzione e note di C. Torchio, Cavallermaggiore 1989.

I dialoghi, introduzione, traduzione e note di N. Marziano, vol. III, Milano 1990.
I dialoghi, a cura di G. Viansino, vol. II, Milano 1990[1], 1992[2].
Die kleinen Dialoge, Lateinisch-deutsch, her.von G. Fink, II, München-Zürich 1992.
La brevità della vita, traduzione di G. Manca, Milano 1992 (la traduzione è ristampata in Seneca, *Dialoghi morali*, trad. da G. Manca, introduzione e note di C. Carena, Torino 1995).
De la brièveté de la vie, trad. par Colette Lazan, Paris 1992[1] (1994[2]).
La brevità della vita, traduzione di Silvia Battistelli, Milano 1993.
Come vivere a lungo e La provvidenza, traduzione di M. Scaffidi Abbate, Milano 1993.
De brevitate vitae, a cura di R. Gazich, Milano 1999.
Dialoghi, a cura di Paola Ramondetti, Torino 1999, pp. 716-775 (con ricche note testuali ed esegetiche, cfr. «Lexis» 18, 2000, pp. 315-317).
De otio, *De brevitate vitae*, ed. by D. Williams, Cambridge 2003.

La II edizione del Viansino (1992), vol. I, è accompagnata da un'edizione critica eccessivamente conservativa e corredata di una raccolta di *loci similes* non sempre pertinenti. La traduzione di M. Scaffidi Abbate è ristampata con altri dialoghi sotto il titolo *L'arte di essere felici e vivere a lungo*, Roma 2002, pp. 245-293 (poco affidabile anche il testo latino e la bibliografia). Per altre traduzioni comprese in edizioni di tutti i *Dialoghi* rimando alla *Bibliografia* della mia edizione del *De providentia*, BUR, Milano 2004[4], p. 36 (2013[7], p. 38 sg.).

Sul problema del tempo in Seneca, oltre ai testi citati nelle note dell'*Introduzione* e nelle *Voci della critica*: P. Cerezo, *Tiempo y libertad en Séneca*, in AA.VV., *Estudios sobre Séneca*, Madrid 1966, pp. 195-208; J. Blänsdorf, E. Breckel, *Das Paradoxon der Zeit. Zeitbesitz und Zeitverlust in Senecas Epistulae morales und De brevitate vitae*, Heildelberg 1983; Alessandra Bertini Malgarini, *Seneca e il tempo nel «De brevitate vitae» e nelle «Epistulae ad Lucilium»*, «Ann. Ist. Ital. Stud. Stor.» 8, 1983-84, pp. 75-92; Emanuela Sangalli, *Tempo narrato e tempo vissuto nelle Epistulae ad Lucilium di Seneca*, «Athen.» 76, 1988, pp. 53-67; Anna Lydia Motto, J.R. Clark, *Tempus omnia rapit: Seneca on the Rapacity of Time*, «Cuadern. Filol. Clàs.», Madrid 21, 1988, pp. 129-138 (ristampato in *Essays on Seneca* degli stessi, Frankfurt a. M. 1993, pp. 41-50 [ivi, pp. 51-64, *Time in Seneca: Past, Present, Future*]); A. Postiglione, *«Humana conditio» da Cicerone a Seneca*, in L. Nicastri (a cura di), *Contributi di filologia latina*, Napoli 1990, pp. 125 sgg. (in particolare 129-131); J. Meyers, *Sénèque et le temps. Du De brevitate vitae aux Lettres à Lucilius*, in *Serta Leodicensia secunda*, Liège 1992, pp. 357-365; Mireille Armisen-Marchetti, *Sénèque et l'appropriation du temps*, «Latom.» 54, 1995, pp. 545-567; D. Gagliardi, *Il tempo in Seneca filosofo*, Napoli 1998; Valeria Viparelli, *Il senso e il non senso del tempo in Seneca*, Napoli 2000.

Su *Seneca e Heidegger*, L. Perelli, «Boll. Stud. Lat.» 24, 1994, pp. 45-61.

Sul *De brevitate vitae*: H. Lenzen, *Senecas Dialog De brevitate vitae*, Leipzig 1937; I. Dionigi (ed.), *Protinus vive. Colloquio sul De brevitate vitae di Seneca*, Bologna 1995 (interventi di S. Mariotti [ora in *Scritti di filologia classica*, Roma 2000, pp. 731-734], I. Dionigi, G.G. Biondi, M. Cacciari).

Sulla lingua e lo stile cfr. *Introduzione*, § 7, n. 37.

NOTA

L'*Introduzione* riprende, con qualche aggiustamento e aggiornamento, quella della mia edizione commentata del *De brevitate vitae* (vedi *Bibliografia*), per gentile concessione dell'Editore Loescher. A tale edizione si rimanda anche per le scelte testuali e per un più ampio commento, qui ridotto all'essenziale (e inversamente, quel commento andrà integrato con la traduzione e le note della presente edizione).

La mia traduzione ha qualche debito verso il Bourgery e il Castiglioni; altre eventuali coincidenze sono casuali. Devo preliminarmente segnalare la difficoltà di rendere con un unico lessema italiano la parola-chiave *otium*, che è il tempo non utilizzato per le attività pubbliche e professionali (*negotia*), il «tempo libero» del riposo, degli svaghi e degli studi.

Le traduzioni delle *Voci della critica* sono del curatore; la *Cronologia senecana* è desunta da Seneca, *Medea, Fedra*, a cura di G.G. Biondi, Milano, BUR 1989[1], 2013[19].

ADDENDUM Nelle more della stampa è uscito un imponente *Brill's Companion to Seneca*, a cura di G. Damschen e A. Heil, Leiden-Boston 2014 (quasi 900 pagine), che fa il punto su tutti i problemi della vita e dell'opera di Seneca. Un articolo è dedicato al *De brevitate vitae* (come altri al *De providentia* e alle *Consolationes*), a firma di R. Scott Smith, pp. 161-166, di cui non si è potuto tener conto.

LA BREVITÀ DELLA VITA
[DE BREVITATE VITAE]

1 **I.** Maior pars mortalium, Pauline, de naturae malignitate conqueritur, quod in exiguum aevi gignimur, quod haec tam velociter, tam rapide dati nobis temporis spatia decurrant, adeo ut exceptis admodum paucis ceteros in ipso vitae apparatu vita destituat. Nec huic publico, ut opinantur, malo turba tantum et imprudens volgus ingemuit; clarorum quoque virorum hic affectus querellas evocavit. Inde illa maximi medicorum exclamatio est:
2 «vitam brevem esse, longam artem»; inde Aristotelis cum rerum natura exigentis minime conveniens sapienti viro lis: «aetatis illam animalibus tantum indulsisse, ut quina aut dena saecula educerent, homini in tam multa ac magna
3 genito tanto citeriorem terminum stare». Non exiguum temporis habemus, sed multum perdidimus. Satis longa vita et in maximarum rerum consummationem large data est, si tota bene collocaretur; sed ubi per luxum ac neglegentiam diffluit, ubi nulli bonae rei inpenditur, ultima

I. Se la vita è breve, la colpa non è della natura, ma del cattivo uso che ne fanno gli uomini.

1. *maximi medicorum*: Ippocrate (V-IV sec. a.C.), *aph.* 1, 1. Analisi della citazione ippocratica in A. Setaioli, *Seneca e i Greci*, Bologna 1988, p. 111 sgg. Sull'importanza della massima nell'economia del dialogo cfr. Silvana Fasce, *La previsione tra meditazione e cronosofia: Seneca e l'aforisma ippocratico*, «Aev. Ant.» 7, 1994, pp. 41-57. Sulla

I. La maggior parte degli uomini, Paolino, protesta per l'avarizia della natura, perché siamo messi al mondo per un briciolo di tempo, perché i giorni a noi concessi scorrono così veloci e travolgenti che, eccetto pochissimi, gli altri sono abbandonati dalla vita proprio mentre si preparano a vivere. E di questa disgrazia, che credono comune, non si dolse solo la folla e il volgo sciocco: tale stato d'animo provocò la protesta anche di grandi uomini. Di qui l'esclamazione del più grande dei medici, che la vita è breve, l'arte lunga; di qui l'accusa di Aristotele alle prese con la natura, indegna di un saggio, perché essa ha concesso agli animali di poter vivere cinque o dieci generazioni, e all'uomo, nato a tante e così grandi cose, è fissato un termine tanto più breve. Non abbiamo poco tempo, ma ne abbiamo perduto molto. Abbastanza lunga è la vita e data con larghezza per la realizzazione delle cose più grandi, se fosse tutta messa bene a frutto; ma quando si perde nella dissipazione e nell'inerzia, quando non si spende per nulla di buono, costretti dall'ultima necessità ci accorgiamo

sua fortuna R. Tosi, *Aforismi italiani e ipotesti classici*, «Belfagor» 58, 2003, p. 168.

2. *Aristotelis*: Cicerone (*Tusc.* 3, 69) attribuisce lo stesso pensiero a Teofrasto, discepolo di Aristotele.

demum necessitate cogente, quam ire non intelleximus
4 transisse sentimus. Ita est: non accipimus brevem vitam, sed fecimus, nec inopes eius sed prodigi sumus. Sicut amplae et regiae opes, ubi ad malum dominum pervenerunt, momento dissipantur, at quamvis modicae, si bono custodi traditae sunt, usu crescunt, ita aetas nostra bene disponenti multum patet.

1 **II.** Quid de rerum natura querimur? Illa se benigne gessit: vita, si uti scias, longa est. Alium insatiabilis tenet avaritia, alium in supervacuis laboribus operosa sedulitas; alius vino madet, alius inertia torpet; alium defatigat ex alienis iudiciis suspensa semper ambitio, alium mercandi praeceps cupiditas circa omnis terras, omnia maria spe lucri ducit; quosdam torquet cupido militiae numquam non aut alienis periculis intentos aut suis anxios; sunt quos ingratus superiorum cultus voluntaria servitute
2 consumat; multos aut affectatio alienae formae aut suae cura detinuit; plerosque nihil certum sequentis vaga et inconstans et sibi displicens levitas per nova consilia iactavit; quibusdam nihil, quo cursum derigant, placet, sed marcentis oscitantisque fata deprendunt, adeo ut quod apud maximum poetarum more oraculi dictum est, verum esse non dubitem: «exigua pars est vitae, qua vivimus».

II. Rassegna delle occupazioni e passioni con cui si abbrevia la vita.

2. *sibi displicens levitas*: l'opposto della virtù stoica della *constantia*, cui S. dedica un apposito trattato (*De constantia sapientis*). Questa instabilità psichica è un tema diatribico già svolto in Lucrezio e Orazio e ripreso da S. soprattutto nel *De tranquillitate animi*. Sul lessico di questa instabilità psichica in questo trattato rimando al mio articolo *Observatio sui*, in corso di stampa negli *Studi Setaioli*.

maximum poetarum: dovrebbe designare Omero o Virgilio (vedi

che è passata senza averne avvertito il passare. Sì: non riceviamo una vita breve, ma tale l'abbiamo resa, e non siamo poveri di essa, ma prodighi. Come ricchezze grandi e regali in mano a un cattivo padrone si volatizzano in un attimo, ma, per quanto modeste, se affidate a un buon amministratore, aumentano con l'impiego, così la durata della nostra vita per chi sa bene gestirla è molto estesa.

II. Perché ci lagniamo della natura? Si è comportata generosamente: la vita, se sai usarne, è lunga. Uno è in preda a un'avidità insaziabile, uno alle vane occupazioni di una faticosa attività; uno è fradicio di vino, uno è abbrutito dall'ozio; uno è stressato dall'ambizione, che dipende sempre dai giudizi altrui, uno dalla frenesia del commercio è condotto col miraggio di guadagni di terra in terra, di mare in mare; alcuni, smaniosi di guerra, sono continuamente occupati a creare pericoli agli altri o preoccupati dei propri; c'è chi si logora in una volontaria schiavitù, all'ingrato servizio dei potenti; molti non pensano che ad emulare l'altrui bellezza o a curare la propria; i più, privi di bussola, cambiano sempre idea, in balia di una leggerezza volubile e instabile e scontenta di sé; a certuni non piace nessuna meta, a cui dirigere la rotta, ma sono sorpresi dalla morte fra il torpore e gli sbadigli, sicché non dubito che sia vero ciò che in forma di oracolo si dice nel più grande dei poeti: «piccola è la parte di vita che viviamo». Sì: tutto

sotto, 9, 2), ma in nessuno dei due si ritrova un'identica massima. L'ipotesi più probabile è che dopo *poetarum* sia caduto *comicorum*, e allora il riferimento sarebbe a Menandro (IV sec. a.C.), fr. 340 Koe. (S. Mariotti, *Sen., brev. v.* 2,2 negli *Scritti*, cit., pp. 157-162). Ulteriore bibliografia in Ramondetti, *op. cit.*, *ad loc.*

Ceterum quidem omne spatium non vita sed tempus est. 3 Urgent et circumstant vitia undique nec resurgere aut in dispectum veri attollere oculos sinunt, sed demersos et in cupiditatem infixos premunt. Numquam illis recurrere ad se licet; si quando aliqua fortuito quies contigit, velut profundo mari, in quo post ventum quoque volutatio est, fluctuantur nec umquam illis a cupiditatibus suis otium 4 stat. De istis me putas dicere, quorum in confesso mala sunt? Aspice illos, ad quorum felicitatem concurritur: bonis suis effocantur. Quam multis divitiae graves sunt! Quam multorum eloquentia et cotidiana ostentandi ingenii s < ui occu > patio sanguinem educit! Quam multi continuis voluptatibus pallent! Quam multis nihil liberi relinquit circumfusus clientium populus! Omnis denique istos ab infimis usque ad summos pererra: hic advocat, hic adest, ille periclitatur, ille defendit, ille iudicat, nemo se sibi vindicat, alius in alium consumitur. Interroga de istis, quorum nomina ediscuntur, his illos dinosci videbis 5 notis: ille illius cultor est, hic illius; suus nemo est. Deinde dementissima quorundam indignatio est: queruntur de superiorum fastidio, quod ipsis adire volentibus non vacaverint. Audet quisquam de alterius superbia queri, qui sibi ipse numquam vacat? Ille tamen te, quisquis es, insolenti quidem vultu sed aliquando respexit, ille aures suas ad tua verba demisit, ille te ad latus suum recepit:

4. *vindicat*: metafora giuridica. *Vindico* significa rivendicare legalmente il possesso di qualche cosa, togliendola al proprietario illegittimo. Con *Vindica te tibi* S. inizia le *Epistulae ad Lucilium* (1, 1). Anche *suum esse* che chiude il § è locuzione giuridica, «essere autonomo, indipendente», applicata alla sfera etica sul modello dell'epicureo

lo spazio rimanente non è vita, ma tempo. Incalzano e assediano i vizi da ogni parte e non li lasciano risollevarsi o alzare gli occhi a discernere il vero, ma col loro peso li tengono sommersi e inchiodati al piacere. Non hanno mai la possibilità di rifugiarsi in se stessi; se gli tocca per caso un momento di riposo, come in alto mare, dove anche dopo la caduta del vento continua l'agitazione, ondeggiano e non trovano mai pace dalle loro passioni. Credi che io parli di costoro, i cui mali sono alla luce del sole? Guarda quelli, la cui fortuna fa accorrere la gente: sono soffocati dai loro beni. Per quanti le ricchezze sono un peso! A quanti fa sputar sangue l'eloquenza e la quotidiana ostentazione del proprio ingegno! Quanti sono terrei per continui piaceri! A quanti non lascia respiro la calca dei clienti! Insomma, passa in rivista tutti costoro dai più piccoli ai più grandi: questo chiede assistenza, questo la dà, quello è imputato, quello difensore, quello giudice, nessuno rivendica per sé la sua libertà, ci si logora l'uno per l'altro. Infòrmati di costoro, i cui nomi s'imparano a mente, e vedrai che si riconoscono a tali segni: questo corre dietro a quello, quello a quell'altro, nessuno appartiene a se stesso. E poi che c'è di più insensato dello sdegno di certuni? Si lagnano della boria dei potenti, che non hanno tempo di riceverli. Ha il coraggio di lagnarsi dell'altrui superbia uno che non ha mai tempo per sé? Lui almeno, chiunque tu sia, ti ha rivolto uno sguardo, sia pure con aria arrogante, lui ha abbassato l'orecchio alle tue parole, lui ti ha ammesso al suo fianco:

ἑαυτοῦ εἶναι. Cfr. Traina, *Lo stile «drammatico»*, cit., pp. 12 e 52 sg.; G. Lotito, *Suum esse. Forme dell'interiorità senecana*, Bologna 2001, p. 131 sgg.

tu non inspicere te umquam, non audire dignatus es. Non est itaque, quod ista officia cuiquam imputes, quoniam quidem, cum illa faceres, non esse cum alio volebas, sed tecum esse non poteras.

1 **III.** Omnia licet, quae umquam ingenia fulserunt, in hoc unum consentiant, numquam satis hanc humanarum mentium caliginem mirabuntur: praedia sua occupari a nullo patiuntur et, si exigua contentio est de modo finium, ad lapides et arma discurrunt: in vitam suam incedere alios sinunt, immo vero ipsi etiam possessores eius futuros inducunt; nemo invenitur, qui pecuniam suam dividere velit: vitam unusquisque quam multis distribuit! Adstricti sunt in continendo patrimonio; simul ad iacturam temporis ventum est, profusissimi in eo, cuius unius honesta 2 avaritia est. Libet itaque ex seniorum turba comprendere aliquem: «pervenisse te ad ultimum aetatis humanae videmus, centesimus tibi vel supra premitur annus: agedum, ad computationem aetatem tuam revoca. Duc, quantum ex isto tempore creditor, quantum amica, quantum rex, quantum cliens abstulerit, quantum lis uxoria, quantum servorum coercitio, quantum officiosa per urbem discursatio; adice morbos, quos manu fecimus, adice quod et sine usu iacuit: videbis te pauciores annos habere quam nume- 3 ras. Repete memoria tecum, quando certus consilii fueris, quotus quisque dies ut destinaveras cesserit, quando tibi usus tui fuerit, quando in statu suo voltus, quando animus

5. *tecum esse*: locuzione già ciceroniana (*Cato M.* 43) e oraziana (*sat.* 2, 7, 112), risalente ad Antistene, che a chi gli chiedeva quale vantaggio avesse ricavato dalla filosofia, rispose: «il saper stare (ὁμιλεῖν) con me stesso» (Diog. Laert. 6, 6). S. la varierà con *secum morari* (*ep.* 9, 16): cfr. Traina, *Lo stile «drammatico»*, cit., p. 17.

tu non ti sei degnato di guardare dentro di te, di ascoltare te. Non hai dunque ragione di rinfacciare ad alcuno cotesti servizi, giacché li hai resi non per il desiderio di stare con altri, ma per l'impossibilità di stare con te stesso.

III. Si mettano pure tutti d'accordo su questo solo punto gli ingegni più illustri che mai ci siano stati, non si stupiranno mai abbastanza di questo annebbiamento delle menti umane: non soffrono che si occupino i loro fondi e alla minima questione di confini corrono alle pietre e alle armi; ma lasciano gli altri invadere la loro vita, anzi sono loro a farvi entrare i futuri padroni. Non si trova nessuno che voglia dividere il suo denaro: ma a quanti ciascuno distribuisce la sua vita! Sono stretti nel tenere la borsa; appena si tratta di perdere tempo, sono larghissimi in quella sola cosa in cui è virtù l'avarizia. Si prenda uno dalla folla dei vegliardi: «Vediamo che sei giunto al termine della vita umana, hai addosso cent'anni o più: su, fa' il rendiconto del tuo passato. Calcola quanto da cotesto tempo han sottratto i creditori, quanto le donne, quanto i patroni, quanto i clienti, quanto i litigi con tua moglie, quanto i castighi dei servi, quanto le corse zelanti per tutta la città; aggiungi le malattie, che ci fabbrichiamo noi stessi, aggiungi il tempo inutilizzato: vedrai che hai meno anni di quanti ne conti. Rievoca nella memoria quando sei stato saldo nei tuoi propositi, quanto pochi giorni hanno avuto l'esito che volevi, quando hai avuto la disponibilità di te stesso, quando il tuo volto non ha

III. Gli uomini sono grandi dissipatori del tempo.

intrepidus, quid tibi in tam longo aevo facti operis sit, quam multi vitam tuam diripuerint te non sentiente quid perderes, quantum vanus dolor, stulta laetitia, avida cupiditas, blanda conversatio abstulerit, quam exiguum tibi de tuo
4 relictum sit: intelleges te inmaturum mori». Quid ergo est in causa? Tamquam semper victuri vivitis, numquam vobis fragilitas vestra succurrit, non observatis, quantum iam temporis transierit; velut ex pleno et abundanti perditis, cum interim fortasse ille ipse, qui alicui vel homini vel rei donatur, dies ultimus sit. Omnia tamquam mortales
5 timetis, omnia tamquam immortales concupiscitis. Audies plerosque dicentes: «a quinquagesimo anno in otium secedam, sexagesimus me annus ab officiis dimittet». Et quem tandem longioris vitae praedem accipis? Quis ista, sicut disponis, ire patietur? Non pudet te reliquias vitae tibi reservare et id solum tempus bonae menti destinare, quod in nullam rem conferri possit? Quam serum est tunc vivere incipere, cum desinendum est? Quae tam stulta mortalitatis oblivio in quinquagesimum et sexagesimum annum differre sana consilia et inde velle vitam incohare, quo pauci perduxerunt?

1 **IV.** Potentissimis et in altum sublatis hominibus excidere voces videbis, quibus otium optent, laudent, omnibus bonis suis praeferant. Cupiunt interim ex illo fastigio
2 suo, si tuto liceat, descendere; nam ut nihil extra lacessat

5. *a quinquagesimo... anno, sexagesimus annus*: vedi sotto, 20, 5.

IV. Vittime illustri di una vita affaccendata: Augusto.
1. *ex illo fastigio*: cfr. *tranq.an.* 10, 6: «sono molti quelli cui è inevi-

battuto ciglio, quando non ha tremato il tuo cuore, che cosa hai realizzato in un periodo così lungo, quanti hanno saccheggiato la tua vita senza che ti accorgessi di quel che perdevi, quanto ne ha sottratto un vano dolore, una stolta gioia, un'avida passione, un'allegra compagnia, quanto poco ti è rimasto del tuo: comprenderai che la tua morte è prematura». Quale la causa? Vivete come destinati a vivere sempre, mai vi viene in mente la vostra precarietà, non fate caso di quanto tempo è trascorso: continuate a perderne come da una provvista colma e copiosa, mentre forse proprio quel giorno che si regala a una persona o a un'attività qualunque è l'ultimo. Avete paura di tutto come mortali, voglia di tutto come immortali. Sentirai i più dire: «A partire dai cinquant'anni mi metterò a riposo, a sessant'anni andrò in pensione». E chi ti garantisce una vita così lunga? Chi farà andare le cose secondo il tuo programma? Non arrossisci di riservare per te gli avanzi della vita e di destinare al perfezionamento interiore solo il tempo che non può essere utilizzato per niente altro? Non è troppo tardi cominciare a vivere solo quando è tempo di finire? Che sciocco oblio della condizione mortale rimandare i buoni propositi ai cinquanta e sessant'anni e volere iniziare la vita dal punto a cui pochi sono arrivati?

IV. Agli uomini più potenti e altolocati vedrai sfuggire di bocca parole in cui desiderano e lodano il tempo libero e lo preferiscono a tutti i loro beni. Vorrebbero di tanto in tanto scendere da quella vetta, se la discesa fosse sicura: anche ammesso che nessuna forza ostile intervenga

tabile restare attaccati a una vetta dalla quale non possono scendere senza cadere». Accadrà anche a S.

aut quatiat, in se ipsa fortuna ruit. Divus Augustus, cui dii plura quam ulli praestiterunt, non desiit quietem sibi precari et vacationem a re publica petere; omnis eius sermo ad hoc semper revolutus est, ut speraret otium: hoc labores suos, etiam si falso, dulci tamen oblectabat
3 solacio, aliquando se victurum sibi. In quadam ad senatum missa epistula, cum requiem suam non vacuam fore dignitatis nec a priore gloria discrepantem pollicitus esset, haec verba inveni: «Sed ista fieri speciosius quam promitti possunt. Me tamen cupido temporis optatissimi mihi provexit, ut quoniam rerum laetitia moratur adhuc, praeciperem aliquid voluptatis ex verborum dulcedine».
4 Tanta visa est res otium, ut illam, quia usu non poterat, cogitatione praesumeret. Qui omnia videbat ex se uno pendentia, qui hominibus gentibusque fortunam dabat, illum diem laetissimus cogitabat, quo magnitudinem suam exueret. Expertus erat, quantum illa bona per omnis terras fulgentia sudoris exprimerent, quantum occultarum
5 sollicitudinum tegerent. Cum civibus primum, deinde cum collegis, novissime cum adfinibus coactus armis decernere mari terraque sanguinem fudit: per Macedoniam, Siciliam, Aegyptum, Syriam Asiamque et omnis prope oras bello circumactus Romana caede lassos exercitus ad externa bella convertit. Dum Alpes pacat immixtosque mediae

2. *Divus Augustus*: cfr. P. Grimal, *Sénèque et Tacite juges d'Auguste et de son époque*, in AA. VV., *L'età augustea vista dai contemporanei e nel giudizio dei posteri*, Mantova 1988, pp. 155-172.

3. *in quadam... epistula*: *Imp. Caesaris Augusti operum fragmenta*, ed. H. Malcovati[5], II, 70. Non ne abbiamo altre notizie.

5. Sintesi delle vicende di Augusto. *Cum civibus*: Bruto e Cassio, gli uccisori di Cesare; *cum collegis*: Lepido, collega con Antonio del triunvirato; *cum adfinibus*: Antonio, suo cognato. *Alpes pacat*: le tri-

dall'esterno, la fortuna crolla sotto il suo peso. Il divo Augusto, cui gli dei furono più generosi che ad alcun altro, non cessò di augurarsi il riposo e di chiedere l'esonero dalla vita pubblica; ogni suo discorso ricadeva sempre su un punto, la speranza del tempo libero, e alleviava le sue fatiche col pensiero, forse illusorio, ma confortevole, che un giorno sarebbe vissuto per sé. In una lettera al senato, dopo la promessa che il suo riposo sarebbe stato non senza decoro e all'altezza della gloria precedente, ho trovato tali parole: «Ma queste cose sarebbe più bello realizzarle che prometterle. Tuttavia il desiderio di quel tempo così sospirato mi ha ridotto, poiché la gioia della realtà si fa attendere, a pregustare un po' di piacere parlandone». Così grande cosa gli sembrava il tempo libero che, non potendo goderne di fatto, l'anticipava nel pensiero. Chi vedeva tutto dipendere da lui solo, chi dispensava la fortuna agli uomini e ai popoli, era felice soprattutto pensando al giorno che avrebbe deposto la sua grandezza. Sapeva per esperienza quanto sudore costano quei beni che abbagliano tutta la terra, quanti segreti affanni nascondono. Costretto alla lotta armata prima coi concittadini, poi coi colleghi, infine coi parenti versò sangue per terra e per mare; dopo aver investito con la guerra la Macedonia, la Sicilia, l'Egitto, la Siria, l'Asia Minore e quasi tutte le coste, volse gli eserciti stanchi di strage romana contro gli stranieri. Mentre pacificava le Alpi e

bù dell'arco alpino, dalla Val d'Aosta al Tirolo. Nel suo testamento epigrafico (il cosiddetto *Monumentum Ancyranum*) così Augusto stesso ne parla: «Ho pacificato le Alpi dalla regione prossima al mare Adriatico sino al Tirreno». *Murenae* ecc.: le congiure.

paci et imperio hostes perdomat, dum ultra Rhenum et Euphraten et Danuvium terminos movet, in ipsa urbe Murenae, Caepionis, Lepidi, Egnati, < ali > orum in eum 6 mucrones acuebantur. Nondum horum effugerat insidias: filia et tot nobiles iuvenes adulterio velut sacramento adacti iam infractam aetatem territabant plusque et iterum timenda cum Antonio mulier. Haec ulcera cum ipsis membris absciderat: alia subnascebantur; velut grave multo sanguine corpus parte semper aliqua rumpebatur. Itaque otium optabat, in huius spe et cogitatione labores eius residebant, hoc votum erat eius, qui voti compotes facere poterat.

1 **V.** M. Cicero inter Catilinas, Clodios iactatus Pompeiosque et Crassos, partim manifestos inimicos, partim dubios amicos, dum fluctuatur cum re publica et illam pessum euntem tenet, novissime abductus, nec secundis rebus quietus nec adversarum patiens, quotiens illum ipsum consulatum suum non sine causa sed sine fine laudatum 2 detestatur! Quam flebiles voces exprimit in quadam ad

6. *filia et tot nobiles iuvenes*: Giulia e i suoi adulteri, fra cui *Iullus Antonius*, figlio del triunviro (cfr. *iterum... cum Antonio*, allusione ad Antonio e Cleopatra). Sul complesso atteggiamento di Seneca verso Augusto cfr. ora G. Mazzoli, *Seneca, Augusto e il vitium temporis*, in L. Castagna, G. Vogt-Spira (edd.), *Pervertere: Ästhetik der Verkehrung*, München-Leipzig 2002, pp. 129-137.

absciderat: esiliando la figlia nel 2 a.C. Per la metafora medica cfr. G. Guastella, *La rete del sangue*, «MD» 15, 1985, p. 98.

V. Cicerone.

1. *Cicero*: cfr. P. Grimal, *Sénèque juge de Cicéron,* in *Mélanges École Franc.*, Rome, 96, 1984, pp. 655-670; A. Setaioli, *Seneca e Cicerone*, in

domava i nemici annidati nel cuore della pace e dell'impero, mentre portava i confini oltre il Reno, l'Eufrate e il Danubio, proprio a Roma si affilavano contro di lui i pugnali di Murena, di Cepione, di Lepido, di Egnazio, di tanti altri. Non era ancora sfuggito alle loro insidie, e la figlia e tanti nobili giovani uniti dal vincolo dell'adulterio come da un giuramento ne impaurivano la già stanca età, e più di loro e per la seconda volta una donna temibile con un Antonio. Aveva resecato queste piaghe insieme alle membra: ne nascevano subito altre; come in un corpo troppo sanguigno, si produceva sempre qualche emorragia. E così desiderava il tempo libero, in questa speranza e in questo pensiero si acquetavano le sue fatiche, questo era il voto di chi poteva esaudire i voti altrui.

V. Marco Cicerone, sballottato fra i Catilina e i Clodii da una parte, i Pompei e i Crassi dall'altra, quelli nemici aperti, questi dubbi amici, in balia dei flutti insieme allo stato, che cercava di tenere a galla, e alla fine travolto, incapace di starsene quieto nella buona fortuna e di sopportare la cattiva, quante volte maledice quel suo consolato lodato non senza ragione ma senza fine! Che geremiadi fa sentire in una lettera ad Attico, dopo la

E. Narducci (ed.), *Aspetti della fortuna di Cicerone nella cultura latina*, Firenze 2003, pp. 55-77 (p. 59 sulla lettera ad Attico).

consulatum: nel 63 a.C., durante il quale represse sanguinosamente la congiura di Catilina.

sine fine laudatum: da Cicerone stesso, in prosa e in versi.

2. *in quadam ad Atticum epistula*: sembra che S. citi a memoria, e quindi non letteralmente, la lettera di Cicerone *ad Att.* 13, 31, 3, da Tuscolo, del 28 maggio del 45 a.C., dove si trova l'hapax *semiliberi.* Ma ci sono altre interpretazioni o correzioni.

Atticum epistula iam victo patre Pompeio, adhuc filio in Hispania fracta arma refovente! «Quid agam» inquit «hic, quaeris? Moror in Tusculano meo semiliber.» Alia deinceps adicit, quibus et priorem aetatem complorat et de praesenti queritur et de futura desperat. Semilibe-
3 rum se dixit Cicero: at mehercules numquam sapiens in tam humile nomen procedet, numquam semiliber erit, integrae semper libertatis et solidae, solutus et sui iuris et altior ceteris. Quid enim supra eum potest esse, qui supra fortunam est?

1 **VI.** Livius Drusus, vir acer et vehemens, cum leges novas et mala Gracchana movisset stipatus ingenti totius Italiae coetu, exitum rerum non pervidens, quas nec agere licebat nec iam liberum erat semel incohatas relinquere, exsecratus inquietam a primordiis vitam dicitur dixisse: uni sibi ne puero quidem umquam ferias contigisse. Ausus est enim et pupillus adhuc et praetextatus iudicibus reos commendare et gratiam suam foro interponere tam efficaciter quidem, ut quaedam iudicia constet ab illo rapta.
2 Quo non erumperet tam inmatura ambitio? Scires in malum ingens et privatum et publicum evasuram tam praecoquem audaciam. Sero itaque querebatur nullas sibi ferias contigisse a puero seditiosus et foro gravis. Disputatur, an ipse sibi manus attulerit; subito enim volnere per

victo patre Pompeio: a Farsàlo, nel 48; *filio... refovente*: il figlio di Pompeo, sconfitto poi a Munda, in Spagna, nel 45.

VI. Livio Druso.
1. *Livius Drusus*: tribuno nel 91 a.C., associato alla politica sociale dei Gracchi, che portò a gravi disordini.
totius Italiae coetu: la massa degli Italici accorsi a Roma per sostenere la sua proposta di legge sulla concessione della cittadinanza romana.

sconfitta di Pompeo padre, mentre il figlio rinfocolava in Spagna le armi infrante! «Vuoi sapere» scrive «che faccio? Me ne sto nel mio podere di Tuscolo, mezzo libero.» Aggiunge poi altre parole piangendo il passato, lagnandosi del presente, disperando dell'avvenire. Mezzo libero si diceva Cicerone: ma perdio mai il saggio si abbasserà a una tale denominazione, mai sarà mezzo libero, sempre in possesso di una libertà intera e piena, senza vincoli e padroni e più in alto di tutto. Che può esserci al di sopra di uno che è al di sopra della fortuna?

VI. Livio Druso, uomo focoso e impetuoso, diede l'avvio a leggi nuove e ai disastri dei Gracchi col massiccio apporto di tutta l'Italia; ma non vedendo via d'uscita dalle iniziative che non poteva né far procedere né lasciare a metà, si dice che, maledicendo la sua vita senza pace fin dagli inizi, dicesse che a lui solo neppure da piccolo erano toccate vacanze. Osò infatti ancor minorenne raccomandare gli imputati ai giudici e far sentire la sua influenza nel foro, con tanta efficacia che alcune sentenze risultano da lui estorte. Dove sarebbe andata a finire un'ambizione così prematura? C'era da immaginarselo che sarebbe sfociata in un disastro privato e pubblico un'intraprendenza così precoce. Troppo tardi si lagnava di non aver avuto vacanze, turbolento fin da piccolo e nocivo alla giustizia. Si discute se si sia suicidato: ferito da un colpo improv-

pupillus: sotto tutela per la morte del padre (che perse a quindici anni); *praetextatus*: vestito della toga orlata di porpora, che si portava fino alla maggiore età, diciassette anni.

2. *subito... vulnere*: una coltellata, secondo lo storico Velleio Patercolo (2, 14, 1).

inguen accepto conlapsus est, aliquo dubitante, an mors
3 eius voluntaria esset, nullo, an tempestiva. Supervacuum
est commemorare plures, qui cum aliis felicissimi videren-
tur, ipsi in se verum testimonium dixerunt perosi omnem
actum annorum suorum; sed his querellis nec alios muta-
verunt nec se ipsos: nam cum verba eruperunt, adfectus ad
4 consuetudinem relabuntur. Vestra mehercules vita, licet
supra mille annos exeat, in artissimum contrahetur: ista
vitia nullum non saeculum devorabunt; hoc vero spatium
quod, quamvis natura currit, ratio dilatat, cito vos effugiat
necesse est; non enim adprenditis nec retinetis < vel >
velocissimae omnium rei moram facitis, sed abire ut rem
supervacuam ac reparabilem sinitis.

1 **VII.** In primis autem et illos numero, qui nulli rei nisi
vino ac libidini vacant; nulli enim turpius occupati sunt.
Ceteri etiam si vana gloriae imagine teneantur, speciose
tamen errant; licet avaros mihi, licet iracundos enumeres
vel odia exercentes iniusta vel bella, omnes isti virilius
peccant: in ventrem ac libidinem proiectorum inhonesta
2 labes est. Omnia istorum tempora excute, aspice quam
diu computent, quam diu insidientur, quam diu timeant,
quam diu colant, quam diu colantur, quantum vadimonia
sua atque aliena occupent, quantum convivia, quae iam
ipsa officia sunt: videbis, quemadmodum illos respirare
non sinant vel mala sua vel bona.

3 Denique inter omnes convenit nullam rem bene exer-
ceri posse ab homine occupato, non eloquentiam, non

4. *reparabilem*: cfr. *ep.* 1, 3: «è così grande la stoltezza dei mortali, che si riconoscono debitori delle cose di nessuna importanza e valore, ma sicuramente recuperabili (*reparabilia*), e invece non crede di dover

viso all'inguine si accasciò, e c'è chi dubita che la sua morte fosse volontaria, nessuno che fosse opportuna. È superfluo ricordare i tanti che, fortunatissimi agli occhi degli altri, testimoniarono contro di sé il vero detestando tutta l'attività dei loro anni: ma con questi lamenti non mutarono né gli altri né se stessi, giacché volate via le parole, i sentimenti tornano quelli di prima. La vostra vita, perdiana, superasse pure i mille anni, si ridurrà a un punto: questi vostri vizi divoreranno ogni secolo; e questo spazio di tempo che la natura fa correre ma la ragione dilata, è inevitabile che vi sfugga presto. Non afferrate né trattenete o ritardate la più veloce di tutte le cose, ma la lasciate andar via come inutile e ricuperabile.

VII. Fra i primi annovero quelli che hanno tempo solo per il vino e la libidine: nessuna occupazione è più vergognosa. Gli altri anche se si perdono dietro un fantasma di gloria, salvano almeno l'apparenza; enumerami pure gli avari, gli iracondi, gli ostinati in un odio o in una guerra ingiusta, i peccati di tutti costoro sono più virili: la colpa di chi si dà al ventre e alla libidine è indecorosa. Fruga tutti i loro giorni, considera quanto tempo perdano nel fare i conti, quanto nel tramare, quanto nel preoccuparsi, quanto nel corteggiare, quanto nell'essere corteggiati, quanto li tengano occupati gli impegni giudiziari, propri e altrui, quanto i pranzi, che ormai sono obblighi sociali: vedrai come non li lascino respirare i loro mali o beni.

Infine tutti sono d'accordo che nessuna attività può essere bene esercitata da un uomo affaccendato, non

nulla chi ha chiesto del tempo, mentre questa è la cosa che neppure chi è grato può restituire».

VII. Gli affaccendati non sanno vivere, e ne hanno coscienza.

liberales disciplinas, quando districtus animus nihil altius recipit, sed omnia velut inculcata respuit. Nihil minus est hominis occupati quam vivere: nullius rei difficilior scientia est. Professores aliarum artium volgo multique sunt, quasdam vero ex his pueri admodum ita percepisse visi sunt, ut etiam praecipere possent: vivere tota vita discendum est et, quod magis fortasse miraberis, tota
4 vita discendum est mori. Tot maximi viri relictis omnibus impedimentis, cum divitiis officiis voluptatibus renuntiassent, hoc unum in extremam usque aetatem egerunt, ut vivere scirent; plures tamen ex his nondum se scire confessi vita abierunt, nedum ut isti sciant. Magni, mihi crede, et supra humanos errores eminentis viri est nihil ex suo tempore delibari sinere, et ideo eius vita longissima
5 est, quia, quantumcumque patuit, totum ipsi vacavit. Nihil inde incultum otiosumque iacuit, nihil sub alio fuit; neque enim quicquam repperit dignum quod cum tempore suo permutaret custos eius parcissimus. Itaque satis illi fuit. Is
6 vero necesse est defuisse, ex quorum vita multum populus tulit. Nec est quod putes nihil illos aliquando intellegere damnum suum; plerosque certe audies ex is, quos magna felicitas gravat, inter clientium greges aut causarum actiones aut ceteras honestas miserias exclamare interdum:
7 «vivere mihi non licet». Quidni non liceat? Omnes illi, qui te sibi advocant, tibi abducunt. Ille reus quot dies abstulit? Quot ille candidatus? Quot illa anus efferendis heredibus lassa? Quot ille ad irritandam avaritiam captantium

7. *captantium*: i cacciatori di testamenti, una piaga dell'età imperiale. Fingersi malato (*simulatus aeger*) per sfruttarli è un consiglio che dà un personaggio di Petronio (*sat.* 117, 9) e mette in pratica il destinatario di un epigramma di Marziale (5, 39, 5).

l'eloquenza, non le professioni liberali, dal momento che l'animo deconcentrato non recepisce nulla in profondità, ma tutto rigetta come cibo ingozzato. Nulla è più estraneo all'uomo affaccendato del vivere: di nulla è meno facile la conoscenza. Di insegnanti delle altre scienze ce ne sono tanti, e alcune di esse sembra che i ragazzi le abbiano assimilate al punto di poterle anche insegnare: ci vuole tutta una vita per imparare a vivere, e, ciò che forse ti stupirà di più, ci vuole tutta una vita per imparare a morire. Tanti grandi uomini, lasciati tutti i bagagli, dopo aver rinunciato a ricchezze cariche piaceri, non ebbero altro scopo fino all'ultima ora che saper vivere; eppure molti di essi se ne andarono confessando di non saperlo ancora: figurarsi se lo sanno costoro! È cosa di uomo grande e al di sopra degli errori umani non farsi sottrarre nulla del proprio tempo, e la sua vita è lunghissima proprio perché, qualunque fu la sua durata, è stata tutta per lui. Nessun istante ne restò inutilizzato e inattivo, nessuno alla mercè di altri: perché non trovò nulla che meritasse di essere scambiato col suo tempo, e ne fu risparmiatore attentissimo. Perciò gli fu sufficiente. Ma è inevitabile che sia mancato a quelli, della cui vita molto portò via la gente. Non credere che prima o poi non si rendano conto della loro perdita; di sicuro udrai la maggior parte di quelli, su cui pesa una grande fortuna, tra le caterve dei clienti e la gestione delle cause e le altre onorifiche miserie esclamare di tanto in tanto: «Non mi è consentito vivere». E perché dovrebbe esserlo? Tutti quelli che ti chiedono di assisterli, ti allontanano da te. Quell'imputato quanti giorni ti ha portato via? Quanti quel candidato?

simulatus aeger? Quot ille potentior amicus, qui vos non in amicitiam, sed in apparatum habet? Dispunge, inquam, et recense vitae tuae dies: videbis paucos admodum et
8 reiculos apud te resedisse. Adsecutus ille quos optaverat fasces cupit ponere et subinde dicit: «quando hic annus praeteribit?». Facit ille ludos, quorum sortem sibi obtingere magno aestimavit: «quando» inquit «istos effugiam?». Diripitur ille toto foro patronus et magno concursu omnia ultra quam audiri potest, complet: «quando» inquit «res proferentur?». Praecipitat quisque vitam suam et futuri
9 desiderio laborat, praesentium taedio. At ille qui nullum non tempus in usus suos confert, qui omnes dies tamquam vitam ordinat, nec optat crastinum nec timet. Quid enim est, quod iam ulla hora novae voluptatis possit adferre? Omnia nota, omnia ad satietatem percepta sunt. De cetero fors fortuna, ut volet, ordinet: vita iam in tuto est. Huic adici potest, detrahi nihil, et adici sic, quemadmodum saturo iam ac pieno aliquid cibi, quod nec desiderat et
10 capit. Non est itaque quod quemquam propter canos aut rugas putes diu vixisse: non ille diu vixit, sed diu fuit. Quid enim, si illum multum putes navigasse, quem saeva tempestas a portu exceptum huc et illuc tulit ac vicibus ventorum ex diverso furentium per eadem spatia in orbem egit? Non ille multum navigavit, sed multum iactatus est.

8. *fasces*: l'insegna del consolato, magistratura annuale.
ludos: i giochi pubblici, a cura degli edili o di altri magistrati, erano un mezzo di acquistarsi popolarità.

Quanti quella vecchia stanca di seppellire eredi? Quanti quello che si è finto malato per stuzzicare le brame dei cacciatori di eredità? Quanti quel potente amico, che vi tiene non per amicizia, ma per mostra? Fa' il bilancio, ripeto, fa' la rivista dei giorni della tua vita: vedrai che te ne sono avanzati ben pochi e di scarto. Quello, ottenuta la carica agognata, non vede l'ora di deporla e non fa che ripetere: «Quando passerà quest'anno?». Quello organizza i giochi cui tanto teneva e dice: «Quando ne verrò fuori?». Quell'avvocato è conteso in tutto il foro e per ascoltarlo si accalcano fin dove non è possibile udirlo: «Quando» dice «ci saranno le ferie?». Ognuno brucia la sua vita e soffre per il desiderio del futuro, per il disgusto del presente. Ma chi sfrutta per sé ogni ora, chi gestisce tutti i giorni come una vita, non desidera il domani né lo teme. Non c'è ora che possa apportare una nuova specie di piacere. Tutto è già noto, tutto goduto a sazietà. Del resto la sorte disponga come vorrà: la vita è già al sicuro. Le si può aggiungere, non togliere, e aggiungere come del cibo a uno già sazio e pieno, che non ne ha più la voglia ma ancora la capienza. Non c'è dunque motivo di credere che uno sia vissuto a lungo perché ha i capelli bianchi o le rughe: non è vissuto a lungo, ma è stato al mondo a lungo. Come credere che ha molto navigato chi la tempesta ha sorpreso all'uscita dal porto menandolo qua e là in un turbine di venti opposti e facendolo girare in tondo entro lo stesso spazio. Non ha navigato molto, ma è stato sballottato molto.

9. *tamquam vitam*: motivo epicureo, più volte ripreso da S., cfr. *Introd.*, § 4 ed *ep*. 61, 1: «curo che un solo giorno sia per me l'equivalente di un'intera vita», ecc.

1 **VIII.** Mirari soleo, cum video aliquos tempus petentes et eos, qui rogantur, facillimos; illud uterque spectat, propter quod tempus petitum est, ipsum quidem neuter: quasi nihil petitur, quasi nihil datur. Re omnium pretiosissima luditur; fallit autem illos, quia res incorporalis est, quia sub oculos non venit, ideoque vilissima aestimatur,
2 immo paene nullum eius pretium est. Annua, congiaria homines carissime accipiunt et in is aut laborem aut operam aut diligentiam suam locant: nemo aestimat tempus; utuntur illo laxius quasi gratuito. At eosdem aegros vide, si mortis periculum propius admotum est, medicorum genua tangentes, si metuunt capitale supplicium, omnia sua, ut vivant, paratos impendere: tanta in illis discordia
3 adfectuum est. Quodsi posset quemadmodum praeteritorum annorum cuiusque numerus proponi, sic futurorum, quomodo illi, qui paucos viderent superesse, trepidarent, quomodo illis parcerent! Atqui facile est quamvis exiguum dispensare, quod certum est; id debet servari diligentius,
4 quod nescias quando deficiat. Nec est tamen, quod putes illos ignorare, quam cara res sit: dicere solent eis, quos valdissime diligunt, paratos se partem annorum suorum dare. Dant nec intellegunt: dant autem ita, ut sine illorum incremento sibi detrahant. Sed hoc ipsum, an detrahant, nesciunt; ideo tolerabilis est illis iactura detrimenti latentis.
5 Nemo restituet annos, nemo iterum te tibi reddet; ibit, qua coepit, aetas nec cursum suum aut revocabit aut supprimet; nihil tumultuabitur, nihil admonebit velocitatis

VIII. Gli uomini sono prodighi del tempo, perché non ne conoscono il valore.

2. *genua tangentes*: atto ritualizzato di supplica.

4. *partem annorum suorum dare*: in Plauto (*As.* 609 sg.) un giovane innamorato dice alla sua bella: «se vedessi che ti viene a mancare la vita, ti darei io la mia e te ne aggiungerei della mia».

VIII. Mi fa sempre meraviglia vedere alcuni chiedere tempo e chi ne è richiesto così arrendevole; l'uno e l'altro guarda allo scopo per cui si chiede il tempo, nessuno dei due al tempo in sé: lo si chiede come fosse niente, lo si dà come fosse niente. Si gioca con la cosa più preziosa di tutte. Non ne hanno coscienza, perché è immateriale, perché non cade sotto gli occhi, e perciò è valutata pochissimo, anzi non ha quasi prezzo. Assegni annuali, donativi gli uomini li ricevono come tesori e nel procurarseli impiegano le loro fatiche, il loro lavoro, la loro solerzia: nessuno dà valore al tempo; ne usano senza risparmio, come fosse gratis. Ma vedili quando sono ammalati, se incombe pericolo di morte, toccare le ginocchia dei medici; se temono la pena capitale, pronti a sborsare tutto quello che hanno pur di vivere: tanto sono discordi i loro sentimenti. Che se fosse possibile a ognuno aver dinanzi agli occhi il numero degli anni futuri, al pari dei passati, come sbigottirebbe chi ne vedesse avanzare pochi, come ne farebbe economia! Eppure è facile amministrare ciò che è sicuro, per quanto esiguo; si deve custodire con maggior cura ciò che non sai quando verrà a mancare. E tuttavia non credere che ignorino che cosa preziosa sia: a quelli che amano di più ripetono di essere pronti a dare parte dei propri anni. Li danno senza rendersene conto: li danno in modo di toglierli a sé senza accrescerli a loro. Ma non sanno neppure se li tolgono: perciò gli è sopportabile una perdita che è un danno inavvertito. Nessuno ti renderà gli anni, nessuno ti restituirà a te stesso; andrà il tempo della vita per la via intrapresa e non tornerà indietro né arresterà il suo corso; non farà rumore, non darà segno

5. *te tibi reddet*: altra reminiscenza oraziana (*epist.* 1, 14, 1): «il campicello che mi restituisce a me stesso (*mihi me reddentis*)».

suae: tacita labetur; non illa se regis imperio, non favore populi longius proferet: sicut missa est a primo die curret, nusquam devertetur, nusquam remorabitur. Quid fiet? Tu occupatus es, vita festinat: mors interim aderit, cui, velis nolis, vacandum est.

1 **IX.** Potestne quicquam † sensus hominum eorum dico, qui prudentiam iactant? Operosius occupati sunt: ut melius possint vivere, inpendio vitae vitam instruunt. Cogitationes suas in longum ordinant; maxima porro vitae iactura dilatio est: illa primum quemque extrahit diem, illa eripit praesentia, dum ulteriora promittit. Maximum vivendi impedimentum est exspectatio, quae pendet ex crastino, perdit hodiernum. Quod in manu fortunae positum est, disponis, quod in tua, dimittis. Quo spectas? Quo te extendis? Omnia quae ventura sunt in incerto iacent:
2 protinus vive. Clamat ecce maximus vates et velut divino ore instinctus salutare carmen canit:

> optima quaeque dies miseris mortalibus aevi
> prima fugit.

«Quid cunctaris?» inquit «Quid cessas? Nisi occupas, fugit.» Et cum occupaveris, tamen fugiet: itaque cum celeritate temporis utendi velocitate certandum est et velut ex torrenti rapido nec semper ituro cito hauriendum.
3 Hoc quoque pulcherrime ad exprobrandam infinitam cunctationem, quod non optimam quamque aetatem

IX. Vivi oggi, domani sarà tardi.

1. *Potestne* ecc.: testo irrimediabilmente corrotto; la traduzione è a senso. Ha tentato di difendere il testo tràdito R. Schievenin, «Orpheus» n. s. 16, 1995, pp. 114-123, senza convincere gli ultimi editori.

della sua velocità: scorrerà in silenzio; non si allungherà per editto di re o favore di popolo; correrà come è partito dal primo giorno, non farà mai fermate, mai soste. Che avverrà? Tu sei affaccendato, la vita si affretta: e intanto sarà lì la morte, per la quale, voglia o no, devi aver tempo.

IX. C'è niente di più stolto del pensiero di quegli uomini, che si piccano di essere previdenti? Le loro occupazioni sono più laboriose: per poter vivere meglio, organizzano la vita a spese della vita. Fanno programmi a lunga scadenza; ora il maggior spreco della vita è il differirla: è questo a procrastinare ogni giorno che viene, è questo a scippare il presente, mentre promette il futuro. Il maggior ostacolo al vivere è l'attesa, che dipende dal domani, perde l'oggi. Predisponi ciò che è in potere della fortuna, lasci andare ciò che è in tuo potere. Dove miri? Dove ti proietti? Tutto quello che deve avvenire è incerto: vivi senza indugio. Ecco, grida il più grande dei poeti e come per divina ispirazione canta un canto di salvezza: «i migliori giorni della vita sono i primi a fuggire per gli sventurati mortali». «Che indugi?» dice «Che aspetti? Se non te ne impossessi, fuggono.» E anche quando te ne sarai impossessato, fuggiranno: bisogna dunque gareggiare in velocità col tempo e attingere presto come da un torrente rapido e non perenne. È bello anche che a biasimare un indugio senza fine dica non «il tempo migliore», ma

dilatio: cfr. *ep.* 1, 2: «mentre si differisce, la vita scorre via».

2. *maximus vates*: Virgilio, *georg.* 3, 66 sg. In *ep.* 108, 24 sgg. S. farà di questo verso l'argomento di una lezione di filologia «morale», l'unica filologia da lui ammessa. Vedi sotto, 16, 5.

sed diem dicit. Quid securus et in tanta temporum fuga lentus menses tibi et annos in longam seriem, utcumque
4 aviditati tuae visum est, exporrigis? De die tecum loquitur et de hoc ipso fugiente. Num dubium est ergo, quin optima quaeque prima dies fugiat mortalibus miseris, id est occupatis? Quorum puerilis adhuc animos senectus opprimit, ad quam inparati inermesque perveniunt; nihil enim provisum est: subito in illam necopinantes inciderunt,
5 accedere eam cotidie non sentiebant. Quemadmodum aut sermo aut lectio aut aliqua intentior cogitatio iter facientis decipit et pervenisse ante sciunt quam adpropinquasse, sic hoc iter vitae adsiduum et citatissimum, quod vigilantes dormientesque eodem gradu facimus, occupatis non apparet nisi in fine.

1 **X.** Quod proposui si in partes velim et argumenta diducere, multa mini occurrent, per quae probem brevissimam esse occupatorum vitam. Solebat dicere Fabianus, non ex his cathedrariis philosophis, sed ex veris et antiquis, contra adfectus impetu, non subtilitate pugnandum, nec minutis volneribus sed incursu avertendam aciem; nam contundi debere, non vellicari. Tamen ut illis error exprobretur suus,
2 docendi, non tantum deplorandi sunt. In tria tempora vita dividitur: quod fuit, quod est, quod futurum est. Ex his quod agimus breve est, quod acturi sumus dubium, quod egimus certum. Hoc est enim, in quod fortuna ius perdidit, quod in nullius arbitrium reduci potest. Hoc amittunt occu-

X. La vita degli affaccendati è così breve perché è circoscritta al fuggevole presente.

1. *Fabianus*: Papirio Fabiano, «uomo eminente per vita, dottrina ed eloquenza» (*ep.* 40, 12), declamatore e seguace della scuola neopita-

«i giorni». E tu, indifferente e placido in tanta fuga del tempo, ti riprometti una lunga serie di mesi e di anni, secondo la tua avidità? Ti parla di un giorno, e di un giorno in fuga. C'è dunque dubbio che i migliori giorni fuggano ai mortali sventurati, ossia affaccendati? Sui loro animi ancora infantili piomba la vecchiaia, cui giungono impreparati e inermi, non avendola mai prevista: ci sono cascati di sorpresa, non si accorgevano che si avvicinava ogni giorno. Come una conversazione o una lettera o un pensiero intenso inganna chi viaggia e si rende conto di essere giunto prima che di stare per giungere, così questo viaggio della vita ininterrotto e velocissimo, che percorriamo con lo stesso passo svegli e dormenti, agli affaccendati non è visibile che alla fine.

X. Se volessi dividere la mia tesi in argomentazioni particolari, mi soccorrerebbero molte prove del fatto che la vita degli affaccendati è brevissima. Soleva dire Fabiano, un filosofo non di questi cattedratici, ma di quelli autentici e antichi, che contro le passioni si deve combattere d'impeto, non di sottigliezza, e volgerle in fuga non con piccoli colpi ma con un assalto frontale: mazzate ci vogliono, non punzecchiature. E tuttavia per potergli rinfacciare il loro errore si deve ammaestrarli, non darli per spacciati. La vita si divide in tre tempi: passato, presente, futuro. Di essi il presente è breve, il futuro incerto, il passato sicuro. Solo su questo la fortuna ha perduto il suo potere, solo questo non può essere ridotto in balia di nessuno. E pro-

gorica dei Sestii. S. ne mette gli scritti filosofici subito dopo quelli di Cicerone, Asinio Pollione e Tito Livio (*ep.* 100, 9).

pati; nec enim illis vacat praeterita respicere, et, si vacet,
3 iniucunda est paenitendae rei recordatio. Inviti itaque ad tempora male exacta animum revocant nec audent ea retemptare, quorum vitia, etiam quae aliquo praesentis voluptatis lenocinio subripiebantur, retractando patescunt. Nemo, nisi quoi omnia acta sunt sub censura sua, quae numquam fallitur, libenter se in praeteritum retorquet;
4 ille qui multa ambitiose concupiit, superbe contempsit, inpotenter vicit, insidiose decepit, avare rapuit, prodige effudit, necesse est memoriam suam timeat. Atqui haec est pars temporis nostri sacra ac dedicata, omnis humanos casus supergressa, extra regnum fortunae subducta, quam non inopia, non metus, non morborum incursus exagitet; haec nec turbari nec erigi potest: perpetua eius et intrepida possessio est. Singuli tantum dies et hi per momenta, praesentes sunt; at praeteriti temporis omnes, cum iusseris, aderunt, ad arbitrium tuum inspici se ac detineri patientur,
5 quod facere occupatis non vacat. Securae et quietae mentis est in omnes vitae suae partes discurrere; occupatorum animi, velut sub iugo sint, flectere se ac respicere non possunt. Abit igitur vita eorum in profundum et ut nihil prodest, licet quantumlibet ingeras, si non subest quod excipiat ac servet, sic nihil refert quantum temporis detur, si non est ubi subsidat: per quassos foratosque animos
6 transmittitur. Praesens tempus brevissimum est, adeo quidem, ut quibusdam nullum videatur; in cursu enim

5. *Securae et quietae mentis*: resa latina di «atarassia» (M. Pohlenz, *La Stoa*, trad. it., Firenze 1967, II, p. 69).

prio questo perdono gli affaccendati: non hanno tempo di voltarsi a guardare il passato, e, se ne avessero, non è piacevole il ricordo di un'azione che rimorde.

Perciò richiamano contro voglia alla memoria un tempo male impiegato e non hanno il coraggio di rievocare fatti i cui vizi, anche quelli sottratti alla vista dal belletto di qualche piacere, a ritornarci su si manifestano. Nessuno, se non chi ha agito sempre sotto il controllo della sua coscienza, che mai s'inganna, si volge volentieri al passato; ma quello che ha avuto mire ambiziose, atteggiamenti insultanti, vittorie smodate, una condotta subdola, un'avidità insaziabile, una prodigalità illimitata, non può non temere la sua memoria. Eppure questa è la parte del nostro tempo sacrosanta e inviolabile, al di là di tutte le vicissitudini umane, fuori del regno della fortuna; inattaccabile dalla miseria, dalla paura, dalle malattie; non può essere sconvolta né strappata: perpetuo e tranquillo ne è il possesso. Solo a uno a uno sono presenti i giorni, e momento per momento; ma quelli del passato si presenteranno tutti al tuo comando, si faranno esaminare e trattenere a tuo piacere: gli affaccendati non hanno tempo di farlo. È privilegio di una mente serena e tranquilla spaziare in ogni parte della sua vita; l'animo degli affaccendati, come sotto un giogo, non può voltarsi e guardare indietro. Se ne va dunque la loro vita in un abisso, e come non serve a nulla cercare di riempire un vaso, se manca un fondo che riceva e tenga quello che ci metti, così non ha importanza la quantità di tempo concessa, se non c'è dove si depositi: passa attraverso animi lesionati e bucati. Il presente è brevissimo, tanto breve che ad alcuni sembra inesistente;

in profundum ecc.: S. pensa al mito delle Danaidi, condannate a versare acqua in un vaso forato.

semper est, fluit et praecipitatur; ante desinit esse quam venit, nec magis moram patitur quam mundus aut sidera, quorum inrequieta semper agitatio numquam in eodem vestigio manet. Solum igitur ad occupatos praesens pertinet tempus, quod tam breve est, ut arripi non possit, et id ipsum illis districtis in multa subducitur.

1 **XI.** Denique vis scire quam non diu vivant? Vide quam cupiant diu vivere. Decrepiti senes paucorum annorum accessionem votis mendicant: minores natu se ipsos esse fingunt; mendacio sibi blandiuntur et tam libenter se fallunt quam si una fata decipiant. Iam vero cum illos aliqua inbecillitas mortalitatis admonuit, quemadmodum paventes moriuntur, non tamquam exeant de vita, sed tamquam extrahantur! Stultos se fuisse, ut non vixerint, clamitant et, si modo evaserint ex illa valetudine, in otio victuros; tunc quam frustra paraverint, quibus non fruerentur, quam in cassum omnis ceciderit labor, cogitant.
2 At quibus vita procul ab omni negotio agitur, quidni spatiosa sit? Nihil ex illa delegatur, nihil alio atque alio spargitur, nihil inde fortunae traditur, nihil neglegentia interit, nihil largitione detrahitur, nihil supervacuum est: tota, ut ita dicam, in reditu est. Quantulacumque itaque abunde sufficit, et ideo, quandoque ultimus dies venerit, non cunctabitur sapiens ire ad mortem certo gradu.

XI. Proprio perché non sanno vivere sono insaziabili di vivere, al contrario del saggio, sempre pronto a uscire dalla vita.

infatti è sempre in corsa, scorre e precipita; finisce prima di giungere, e non tollera soste più che l'universo o le stelle, il cui incessante movimento non resta mai nel medesimo punto. Agli affaccendati dunque spetta solo il presente, che è così breve da non potersi afferrare, e un presente che si sottrae a chi è diviso tra molte occupazioni.

XI. Insomma, vuoi sapere quanto poco vivono? Guarda quanto desiderano vivere molto. Vecchi decrepiti si augurano e mendicano l'aggiunta di pochi anni: si fingono più giovani; accarezzano bugiarde illusioni e si compiacciono d'ingannarsi come se al tempo stesso gabbassero i fati. Ma quando qualche infermità gli ricorda di essere mortali, come muoiono spaventati, quasi non uscissero dalla vita, ma ne fossero tirati fuori! Van gridando di essere stati stolti, tanto da non aver vissuto, e, se la scampano, di voler vivere in pace; solo allora riflettono all'inutilità di essersi procurate cose che non avrebbero goduto, alla vanità di ogni loro fatica. Ma per quelli che conducono una vita lontana da ogni faccenda, perché non dovrebbe essere ricca di spazio? Niente ne è affidato ad altri, niente sparpagliato qua e là, niente dato alla fortuna, niente perduto per inerzia, niente dissipato per prodigalità, niente inutilizzato: tutta è, per così dire, a frutto. Per quanto breve, dunque, è più che sufficiente, e perciò, quando che venga l'ultimo giorno, il saggio non esiterà ad andare alla morte con passo fermo.

1 **XII.** Quaeris fortasse, quos occupatos vocem? Non est quod me solos putes dicere, quos a basilica inmissi demum canes eiciunt, quos aut in sua vides turba speciosius elidi aut in aliena contemptius, quos officia domibus suis evocant, ut alienis foribus inlidant, aut hasta praetoris
2 infami lucro et quandoque suppuraturo exercet. Quorundam otium occupatum est: in villa aut in lecto suo, in media solitudine, quamvis ab omnibus recesserint, sibi ipsi molesti sunt: quorum non otiosa vita dicenda est, sed desidiosa occupatio. Illum tu otiosum vocas qui Corinthia, paucorum furore pretiosa, anxia subtilitate concinnat et maiorem dierum partem in aeruginosis lamellis consumit? Qui in ceromate (nam pro facinus! ne Romanis quidem vitiis laboramus) spectator puerorum rixantium sedet? Qui iumentorum suorum greges in aetatium et colorum
3 paria diducit? Qui athletas novissimos pascit? Quid? Illos otiosos vocas, quibus apud tonsorem multae horae transmittuntur, dum decerpitur, si quid proxima nocte subcrevit, dum de singulis capillis in consilium itur, dum aut disiecta coma restituitur aut deficiens hinc atque illinc in frontem compellitur? Quomodo irascuntur, si tonsor paulo neglegentior fuit, tamquam virum tonderet! Quomodo excandescunt, si quid ex iuba sua decisum est, si quid extra ordinern iacuit, nisi omnia in anulos suos recciderunt! Quis est istorum qui non malit rem publicam

XII. Chi sono gli affaccendati.
1. *a basilica*: il centro degli affari, la «city» di Roma.
alienis foribus: vedi sotto, 14, 3-4.
hasta praetoris: *sub hasta*, cioè accanto a una lancia piantata in terra, si vendeva all'asta il bottino di guerra, in particolare gli schiavi. Il loro commercio era ritenuto disonorevole.
2. *Corinthia*: vasi e statue di bronzo di una lega particolarmente pregiata, proveniente da Corinto (cfr. Plinio, *nat.hist.* 34, 6; Svetonio, *Tib.* 34, 1: «il prezzo dei vasi corinzi andò alle stelle»).

XII. Chiedi forse chi chiamo affaccendati? Non credere che tali io dica solo quelli che ci vogliono i cani sguinzagliati per sloggiarli dalla basilica, quelli che vedi soffocare o con più lustro nella folla dei propri clienti o in modo più umiliante in quella dei clienti altrui, quelli che i doveri sociali fanno uscire di casa per schiacciarli contro le porte degli altri, o che l'asta del pretore fa penare con un lucro disonorevole e destinato prima o poi a far cancrena.

Il tempo libero di certuni è affaccendato: nella loro villa o nel loro letto, nel cuore della solitudine, per quanto si siano appartati da tutti, danno fastidio a se stessi: la loro non deve dirsi una vita sfaccendata, ma un ozioso affaccendarsi. Tu chiami sfaccendato chi con tormentosa pignoleria colleziona bronzi corinzi, preziosi per colpa di pochi fanatici, e spreca la maggior parte dei suoi giorni fra lamine rugginose? Chi in palestra (che scandalo! non sono neppur romani i vizi di cui soffriamo) se ne sta a guardare lotte di ragazzi? Chi divide i branchi dei propri giumenti in coppie di eguale età e colore? Chi mantiene i campioni del giorno? Di' un po', chiami sfaccendati quelli che trascorrono molte ore dal barbiere, mentre si strappa un pelo spuntato nell'ultima notte, mentre si tiene un consulto su ogni capello, mentre o si rimette a posto la chioma spettinata o si riporta da un lato e dall'altro sulla fronte stempiata? Come si arrabbiano, se il barbiere è stato un po' disattento, pensando di tosare un maschio! Come danno in escandescenze, se si taglia qualcosa dalla loro criniera, se c'è qualcosa fuori posto, se tutto non ricade in anelli regolari! Chi c'è di costoro

ceromate: unguento usato dagli atleti, qui metonimicamente per «palestra».

vitiis: la pederastia.

suam turbari quam comam? Qui non sollicitior sit de capitis sui decore quam de salute? Qui non comptior esse malit quam honestior? Hos tu otiosos vocas inter pectinem
4 speculumque occupatos? Quid illi, qui in componendis, audiendis, discendis canticis operati sunt, dum vocem, cuius rectum cursum natura et optimum et simplicissimum fecit, in flexus modulationis inertissimae torquent, quorum digiti aliquod intra se carmen metientes semper sonant, quorum, cum ad res serias, etiam saepe tristes adhibiti sunt, exauditur tacita modulatio? Non habent isti
5 otium, sed iners negotium. Convivia mehercules horum non posuerim inter vacantia tempora, cum videam, quam solliciti argentum ordinent, quam diligenter exoletorum suorum tunicas succingant, quam suspensi sint, quomodo aper a coco exeat, qua celeritate signo dato glabri ad ministeria discurrant, quanta arte scindantur aves in frusta non enormia, quam curiose infelices pueruli ebriorum sputa detergeant: ex his elegantiae lautitiaeque fama captatur et usque eo in omnes vitae secessus mala sua illos secuntur,
6 ut nec bibant sine ambitione nec edant. Ne illos quidem inter otiosos numeraveris, qui sella se et lectica huc et illuc ferunt et ad gestationum suarum, quasi deserere illas non liceat, horas occurrunt, quos quando lavari debeant, quando natare, quando cenare, alius admonet: et usque eo nimio delicati animi languore solvuntur, ut per se scire
7 non possint, an esuriant. Audio quendam ex delicatis – si modo deliciae vocandae sunt vitam et consuetudinem humanam dediscere –, cum ex balneo inter manus ela-

5. *glabri*: giovani servitori che si depilavano per conservare il più a lungo possibile l'apparenza dell'adolescenza, cfr. *ep.* 47, 7: «un altro coppiere abbigliato da donna lotta con l'età: non può uscire dall'in-

che non preferirebbe vedere in disordine lo stato piuttosto che la loro pettinatura? Che non si preoccupa più dell'aspetto che dell'incolumità della testa? Che non preferisce uscire ben pettinato che ben costumato? E tu chiami sfaccendati questi affaccendati tra il pettine e lo specchio? E quelli dediti a comporre, ascoltare, imparare canzoni? Spezzano e modulano in gorgheggi effeminati la voce, cui la natura ha dato un andamento regolare, il migliore e il più semplice; i loro diti battono sempre il ritmo di una melodia interiore; e quando ci si rivolge a loro per cose serie, spesso anche tristi, canticchiano a fior di labbro. Non hanno costoro mancanza di faccende, ma faccende oziose. Né metterei i loro banchetti fra le ore libere, quando vedo come sono solerti nel disporre l'argenteria, con quanta cura sistemano le tuniche dei loro amasi, con che ansia osservano come esca il cinghiale dalle mani del cuoco, con quanta sveltezza al segno dato i depilati corrano ai loro servizi, con quanta arte si taglino i volatili in pezzi non irregolari, con quanto zelo infelici servitorelli puliscano gli sputi degli ubriachi: da qui si cerca fama di raffinatezza e di lusso, e a tal punto li seguono i loro mali in ogni angolo della vita, che non mangiano né bevono senza esibizionismo. Neppure enumererei tra gli sfaccendati chi si fa portare qua e là sulla sedia o in lettiga ed è puntuale alle sue passeggiate come se non gli fosse lecito disertarle, chi si fa ricordare da un altro l'ora del bagno, del nuoto, del pranzo: e a tal punto li snerva un eccesso di raffinata fiacchezza, che da sé non sono in grado di sapere se hanno fame. Sento che uno di questi raffinati – se pure si può chiamare raffinatezza disimparare l'umano modo

fanzia,... e tutto liscio (*glaber*) benché in età di fare il soldato, coi peli rasati o estirpati sta sveglio tutta la notte».

tus et in sella positus esset, dixisse interrogando: «iam sedeo?». Hunc tu ignorantem, an sedeat, putas scire an vivat, an videat, an otiosus sit? Non facile dixerim, utrum magis miserear, si hoc ignoravit, an si ignorare se finxit.
8 Multarum quidem rerum oblivionem sentiunt, sed multarum et imitantur; quaedam vitia illos quasi felicitatis argumenta delectant; nimis humilis et contempti hominis videtur scire quid facias: i nunc et mimos multa mentiri ad exprobrandam luxuriam puta. Plura mehercules praetereunt quam fingunt et tanta incredibilium vitiorum copia ingenioso in hoc unum saeculo processit, ut iam
9 mimorum arguere possimus neglegentiam. Esse aliquem, qui usque eo deliciis interierit, ut an sedeat alteri credat! Non est ergo hic otiosus, aliud illi nomen inponas: aeger est, immo mortuus est; ille otiosus est, cui otii sui et sensus est. Hic vero semivivus, cui ad intellegendos corporis sui habitus indice opus est, quomodo potest hic ullius temporis dominus esse?

1 **XIII.** Persequi singulos longum est, quorum aut latrunculi aut pila aut excoquendi in sole corporis cura consumpsere vitam. Non sunt otiosi, quorum voluptates multum negotii habent. Nam de illis nemo dubitabit, quin operose nihil agant, qui litterarum inutilium studiis detinentur, quae
2 iam apud Romanos quoque magna manus est. Graeco-

8. *mimos*: spettacoli teatrali, basati essenzialmente sulla mimica e la danza, in auge nell'età imperiale. I loro versi riflettono un moralismo popolare non sgradito a S., che più di una volta loda e cita il mimografo Publilio Siro (per es. in *ep.* 8, 8), sotto il cui nome ci è pervenuta una raccolta di massime.

XIII. L'erudizione, quando è fine a se stessa, è perdita di tempo.
1. *latrunculi*: il *ludus latrunculorum*, «gioco dei soldati», consisteva

di vivere –, trasportato a braccia dal bagno sulla sedia, chiese: «Sono già seduto?». E tu pensi che costui, che non sa se è seduto, sappia se vive, se vede, se è sfaccendato? Non mi è facile dire se mi fa più compassione se non lo sapeva o se fingeva di non saperlo. Certo, di molte cose la dimenticanza è reale, ma di molte è simulata: ci sono vizi che li allettano come segni di distinzione; sembra spia di una condizione umile e bassa sapere quel che fai: e ora va a credere che i mimi esagerano nell'attaccare il lusso. Quello che tralasciano è più di quello che rappresentano, ed è spuntata tanta abbondanza di vizi nel nostro secolo, solo in questo ingegnoso, che ormai possiamo accusare i mimi di sbadataggine. Sì, c'è qualcuno così smidollato dalla raffinatezza, da credere a un altro se è seduto! Non è dunque costui sfaccendato, dagli un altro nome: è malato, anzi morto; è sfaccendato quello che ha anche la coscienza di esserlo. Ma questo semivivo, che ha bisogno di chi gli suggerisca lo stato del suo corpo, come può costui essere padrone anche di un solo momento?

XIII. Sarebbe troppo lungo star dietro uno per uno a quanti gli scacchi o il pallone o la cura del sole consumarono la vita. Non sono sfaccendati quelli i cui piaceri costano fatica. Di essi nessuno dubiterà che fatichino a non far nulla, che si perdano in studi inutili, e ce n'è già un bel numero anche fra i Romani. Fu malattia dei Greci que-

nel manovrare delle pedine su una scacchiera, all'incirca come la dama o gli scacchi (cfr. U.E. Paoli, *Vita Romana*, Firenze 1948[4], p. 309 sg.).

litterarum inutilium studiis: S. dedicherà un'intera lettera, l'88, alla critica dell'erudizione filologica.

rum iste morbus fuit quaerere, quem numerum Ulixes remigum habuisset, prior scripta esset Ilias an Odyssia, praeterea an eiusdem essent auctoris, alia deinceps huius notae, quae sive contineas, nihil tacitam conscientiam iuvant, sive proferas, non doctior videaris sed molestior.
3 Ecce Romanos quoque invasit inane studium supervacua discendi. His diebus audivi quendam referentem, quae primus quisque ex Romanis ducibus fecisset: primus navali proelio Duilius vicit, primus Curius Dentatus in triumpho duxit elephantos. Etiamnunc ista, etsi ad veram gloriam non tendunt, circa civilium tamen operum exempla versantur: non est profutura talis scientia, est tamen
4 quae nos speciosa rerum vanitate detineat. Hoc quoque quaerentibus remittamus, quis Romanis primus persuaserit navem conscendere – Claudius is fuit, Caudex ob hoc ipsum appellatus, quia plurium tabularum contextus caudex apud antiquos vocabatur, unde publicae tabulae codices dicuntur et naves nunc quoque ex antiqua consuetudine, quae commeatus per Tiberim subvehunt, codicariae vocantur –; sane et hoc ad rem pertineat, quod
5 Valerius Corvinus primus Messanam vicit et primus ex familia Valeriorum urbis captae in se translato nomine Messana appellatus est paulatimque vulgo permutante litteras Messalla dictus: num et hoc cuiquam curare per-
6 mittes, quod primus L. Sulla in circo leones solutos dedit,

2. *quem numerum Ulixes* ecc.: Svetonio attesta che di simili minuzie mitologiche si dilettava Tiberio (*Tib.* 70, 3).

3. *Duilius*: Gaio Duilio vinse nel 260 a.C. i Cartaginesi a Milazzo. *Curius Dentatus*: vinse Pirro a Benevento e trionfò nel 275 a.C.

4. *Claudius*: Appio Claudio Caudice, console nel 264 a.C. La chiusura del dittongo *au* (*caudex*) in *ō* (*codex*) riflette una pronunzia popolare (cfr. «cosa» da *causa*, «coda» da *cauda*, «Chioggia» da *Claudia*, ecc.

sta di ricercare quanti rematori ebbe Ulisse, se fu scritta prima l'*Iliade* o l'*Odissea*, e se sono del medesimo autore, e così via altre cose del genere, che, se le tieni per te, non ti serviranno oltre al fatto di saperle, se le pubblichi, non apparirai più colto ma più pedante. Ecco che ha invaso anche i Romani la vana passione di una dottrina superflua. In questi giorni ho ascoltato uno esporre quali cose ogni generale romano è stato il primo a fare: primo Duilio a vincere una battaglia navale, primo Curio Dentato a portare nel trionfo elefanti. Ancora coteste nozioni, anche se non mirano a una vera gloria, vertono almeno su esempi di attività civili: non è giovevole tale conoscenza, è almeno capace di interessarci con vane apparenze. Perdoniamo anche la ricerca del primo che convinse i Romani a salire su una nave – fu Claudio, detto Codice perché la compagine di parecchie tavole in antico si chiamava «codice», per cui i registri pubblici si dicono «codici» e tuttora le navi, che trasportano le derrate lungo il Tevere, per antica consuetudine si chiamano «codicarie» –; sia giustificata anche la notizia che Valerio Corvino fu il primo a vincere Messina e il primo della gente Valeria a trasferire nel suo nome quello della città conquistata e ad essere chiamato Messana, e poi per progressiva alterazione della pronunzia popolare Messalla: ma concederai anche che qualcuno si occupi del fatto che Lucio Silla fu il primo a esibire nel

e A. Traina, *L'alfabeto e la pronunzia del latino*, Bologna 2002[5], pp. 40-43). L'etimologia seguente viene da Varrone, cfr. Nonio, p. 858 Linds.

5. *Valerius Corvinus*: vinse i Messinesi nel 263 a.C., ma la derivazione di *Messalla* da *Messana* (ripetuta da Macrobio, *Sat.* 1, 6, 26) è fasulla.

6. *L. Sulla*: nel 93 a.C., in occasione della sua pretura.

cum alioquin alligati darentur, ad conficiendos eos missis a rege Boccho iaculatoribus? Et hoc sane remittatur: num et Pompeium primum in circo elephantorum duodeviginti pugnam edidisse commissis more proelii noxiis hominibus ad ullam rem bonam pertinet? Princeps civitatis et inter antiquos principes, ut fama tradidit, bonitatis eximiae memorabile putavit spectaculi genus novo more perdere homines. «Depugnant? Parum est. Lancinantur? Parum

7 est: ingenti mole animalium exterantur!». Satius erat ista in oblivionem ire, ne quis postea potens disceret invideretque rei minime humanae. O quantum caliginis mentibus nostris obicit magna felicitas! Ille se supra rerum naturam esse tunc credidit, cum tot miserorum hominum catervas sub alio caelo natis beluis obiceret, cum bellum inter tam disparia animalia committeret, cum in conspectu populi Romani multum sanguinis funderet mox plus ipsum fundere coacturus; at idem postea Alexandrina perfidia deceptus ultimo mancipio transfodiendum se praebuit, tum demum intellecta inani iactatione cognominis sui.

8 Sed ut illo revertar, unde decessi, et in eadem materia ostendam supervacuam quorundam diligentiam, idem narrabat Metellum victis in Sicilia Poenis triumphantem unum omnium Romanorum ante currum centum et viginti

Boccho: re della Mauretania (Africa settentrionale).

Pompeium: nel 56 a.C., per l'inaugurazione del suo teatro: un testimone oculare, Cicerone (*ep. ad fam.* 7, 1, 3), scrive che alla fine al piacere dello spettacolo subentrò un senso di pietà per le bestie massacrate.

7. *mox plus* ecc.: nella guerra civile contro Cesare (49-48 a.C.).

Alexandrina perfidia: il tradimento di Tolomeo, re d'Egitto.

ultimo mancipio: l'eunuco egiziano Achilla pugnalò Pompeo a tradimento.

circo leoni sciolti e non legati come d'uso, e che a finirli furono mandati dal re Bocco arcieri? E si perdoni anche questo: ma che Pompeo fosse il primo a organizzare nel circo una battaglia di diciotto elefanti opposti come in combattimento a dei condannati, serve a qualcosa di buono? Il primo della città e fra i primi del tempo antico ricordato per la sua bontà eccezionale giudicò un memorabile genere di spettacolo far morire degli uomini in modo nuovo. «Combattono all'ultimo sangue? Non basta. Sono sbranati? Non basta: siano schiacciati dalla mole di animali giganteschi.» Era meglio che tali fatti andassero dimenticati, perché in seguito nessun potente li imparasse e fosse invidioso di un atto così inumano. Come offusca la nostra mente una grande fortuna! Si credette al di sopra della natura esponendo tante schiere di disgraziati a bestie nate sotto un altro cielo, facendo combattere esseri così dissimili, versando molto sangue alla presenza di quel popolo romano, che avrebbe presto costretto a versarne di più; ma poi tradito dalla perfidia alessandrina si fece trafiggere dall'ultimo degli schiavi, solo allora comprendendo quanto fosse illusorio il suo soprannome. Ma per tornare al punto di partenza e mostrare nella medesima materia l'inutile diligenza di certuni, quello stesso raccontava che Metello, trionfando sui Cartaginesi vinti in Sicilia, fu il solo fra i generali romani a condurre davanti al suo cocchio centoventi elefanti prigionieri;

cognominis sui: il soprannome di *Magnus.* Anche di Alessandro Magno S. dirà (*ep.* 91, 17): «doveva comprendere la falsità del suo soprannome».

8. *Metellum*: Lucio Cecilio Metello trionfò nel 250 a.C. sui Cartaginesi sconfitti a Palermo.

captivos elephantos duxisse; Sullam ultimum Romanorum protulisse pomerium, quod numquam provinciali, sed Italico agro adquisito proferre moris apud antiquos fuit. Hoc scire magis prodest, quam Aventinum montem extra pomerium esse, ut ille adfirmabat, propter alteram ex duabus causis, aut quod plebs eo secessisset, aut quod Remo auspicante illo loco aves non addixissent, alia deinceps innumerabilia, quae aut farta sunt mendaciis
9 aut similia. Nam ut concedas omnia eos fide bona dicere, ut ad praestationem scribant, tamen cuius ista errores minuent? Cuius cupiditates prement? Quem fortiorem, quem iustiorem, quem liberaliorem facient? Dubitare se interim Fabianus noster aiebat, an satius esset nullis studiis admoveri quam his inplicari.

1 **XIV.** Soli omnium otiosi sunt qui sapientiae vacant, soli vivunt; nec enim suam tantum aetatem bene tuentur: omne aevum suo adiciunt; quicquid annorum ante illos actum est, illis adquisitum est. Nisi ingratissimi sumus, illi clarissimi sacrarum opinionum conditores nobis nati sunt, nobis vitam praeparaverunt. Ad res pulcherrimas ex tenebris ad lucem erutas alieno labore deducimur; nullo nobis saeculo interdictum est, in omnia admittimur

pomerium: spazio consacrato, e quindi non coltivabile né edificabile, lungo le mura di Roma (Varrone, *ling. Lat.* 5, 143, faceva derivare *pomerium* da *post murum*: cfr. R. Maltby, *A Lexicon of Ancient Latin Etymologies*, Leeds 1991, p. 483). Ma Tacito (*ann.* 12, 23) informa che dopo Silla ampliò il *pomerium* anche Augusto.

Aventinum montem: vedi *Introd.*, §6.

secessisset: secessione della plebe nel 494 a.C. (Livio, 2, 32).

Remo auspicante: in occasione della fondazione di Roma, Remo, sull'Aventino, vide sei avvoltoi, ma Romolo, sul Palatino, dodici

che Silla fu l'ultimo romano a estendere il pomerio, per antico costume esteso solo con l'annessione di territorio mai provinciale, ma italico. Sapere questo è più utile che sapere che il monte Aventino è fuori del pomerio, come affermava quello, per uno dei due motivi: o perché lì c'era stata la secessione della plebe, o perché, mentre Remo vi prendeva gli auspici, gli uccelli non erano stati favorevoli, e così via altre innumerevoli storie infarcite di panzane o simili a panzane. Perché anche ammesso che dicano tutto in buona fede, che siano garanti di quanto scrivono, di chi coteste cose scemeranno gli errori? Di chi freneranno le passioni? Chi faranno più forte, chi più giusto, chi più generoso? Diceva il nostro Fabiano di dubitare a volte, se non fosse meglio non studiare affatto che impegolarsi in tali studi.

XIV. Soli fra tutti sono sfaccendati quelli che dedicano il tempo alla saggezza, solo essi vivono; né solo della loro vita sono attenti custodi: vi aggiungono ogni età; tutti gli anni alle loro spalle sono un loro acquisto. Se non siamo mostri d'ingratitudine, quei fari di luce, fondatori di sacre dottrine, sono nati per noi, hanno predisposto la vita per noi. È la loro fatica a guidarci verso luminose conquiste, dissepolte dalle tenebre; non siamo esclusi da nessun secolo, a tutti abbiamo libero accesso, e, se ci

(Livio, 1, 6, 4-7, 1). Sappiamo da Gellio (13, 14) che la seconda causa era sostenuta da Marco Valerio Messalla l'Augure, console nel 53 a.C.

9. *Fabianus*: vedi sopra, 10, 1.

XIV. Vive solo chi dedica il suo tempo alla saggezza e si fa contemporaneo dei grandi spiriti del passato.

1. *nullo nobis saeculo interdictum est*: vedi *Introd.*, §4.

et, si magnitudine animi egredi humanae inbecillitatis angustias libet, multum, per quod spatiemur, temporis
2 est. Disputare cum Socrate licet, dubitare cum Carneade, cum Epicuro quiescere, hominis naturam cum Stoicis vincere, cum Cynicis excedere. Cum rerum natura in consortium omnis aevi patiatur incedere, quidni ab hoc exiguo et caduco temporis transitu in illa toto nos demus animo, quae inmensa, quae aeterna sunt, quae cum melio-
3 ribus communia? Isti, qui per officia discursant, qui se aliosque inquietant, cum bene insanierint, cum omnium limina cotidie perambulaverint nec ullas apertas fores praeterierint, cum per diversissimas domos meritoriam salutationem circumtulerint, quotum quemque ex tam inmensa et variis cupiditatibus districta urbe poterunt
4 videre? Quam multi erunt, quorum illos aut somnus aut luxuria aut inhumanitas summoveat! Quam multi qui illos, cum diu torserint, simulata festinatione transcurrant! Quam multi per refertum clientibus atrium prodire vitabunt et per obscuros aedium aditus profugient, quasi non inhumanius sit decipere quam excludere! Quam multi hesterna crapula semisomnes et graves illis miseris suum somnum rumpentibus, ut alienum exspectent, vix adlevatis labris insusurratum miliens nomen oscitatione superbis-

2. *Disputare* ecc.: sono sinteticamente caratterizzate le principali scuole ellenistiche, a eccezione della peripatetica, volta più a indagini scientifiche (ma vedi sotto, 14, 5), e a partire dal capostipite Socrate: il metodo dialettico socratico, lo scetticismo accademico (Carneade, III-II sec. a.C.), il quietismo epicureo, il rigorismo stoico («la rigida e virile saggezza degli Stoici», *ad Helv.* 13, 4), l'anticonformismo cinico. La convergenza di tutte le filosofie ellenistiche su alcuni capisaldi morali è affermata da S. in *ep.* 29, 11.

3. *meritoriam salutationem*: il saluto mattutino del cliente al patrono era remunerato in cibarie (la *sportula*) o in denaro.

garba di evadere dalle angustie della debolezza umana con la grandezza dello spirito, è molto il tempo per cui spaziare. Ci è possibile disputare con Socrate, dubitare con Carneade, con Epicuro starcene in pace, vincere con gli Stoici la natura umana, con i Cinici oltrepassarla. Dato che la natura ci lascia condividere il possesso di ogni tempo, perché non elevarci con tutto l'animo da questo esiguo ed effimero volgere di tempo a quei pensieri che sono immensi, sono eterni, sono comuni a chi è migliore di noi? Costoro, che corrono da un impegno all'altro, che non lasciano in pace né sé né gli altri, quando si sono ben bene ammattiti, quando hanno fatto il giro quotidiano di tutte le porte senza trascurarne una aperta, quando hanno recato per le case più distanti il saluto venale, quanto pochi potranno vedere di una città così immensa e in preda a così varie passioni? Di quanti il sonno o la dissolutezza o la maleducazione non li farà entrare? Quanti, dopo avergli inflitto il tormento di una lunga attesa, passeranno oltre con finta fretta! Quanti eviteranno di farsi vedere nell'atrio zeppo di clienti e se la svigneranno per uscite segrete, come se non fosse più offensivo ingannare che lasciar fuori! Quanti mezzo addormentati e appesantiti dalla crapula del giorno prima, a quei disgraziati che interrompono il proprio sonno per aspettare l'altrui, renderanno il saluto pronunziandone fra insolenti sbadigli il nome mille volte sussurrato a

4. *per obscuros aedium aditus*: la porta di servizio (*postīcum*) che «si apriva in uno dei muri laterali della casa, e dava su di un vicolo» (Paoli, *op. cit.*, p. 82). Cfr. Orazio, *epist.* 1, 5, 31: *postico falle clientem*, «eludi il cliente per la porta di dietro».

insusurratum miliens nomen: dallo schiavo incaricato di ricordare al patrono i nomi dei salutanti, e perciò detto *nomenclator*.

5 sima reddent! Hos in veris officiis morari licet dicamus, qui Zenonem, qui Pythagoran cotidie et Democritum ceterosque antistites bonarum artium, qui Aristotelen et Theophrastum volent habere quam familiarissimos. Nemo horum non vacabit, nemo non venientem ad se beatiorem, amantiorem sui dimittet, nemo quemquam vacuis a se manibus abire patietur; nocte conveniri, interdiu ab omnibus mortalibus possunt.

1 **XV.** Horum te mori nemo coget, omnes docebunt; horum nemo annos tuos conteret, suos tibi contribuet; nullius ex his sermo periculosus erit, nullius amicitia capitalis, nullius sumptuosa observatio. Feres ex illis, quidquid voles; per illos non stabit, quominus quantum plurimum ceperis, haurias. 2 Quae illum felicitas, quam pulchra senectus manet, qui se in horum clientelam contulit! Habebit, cum quibus de minimis maximisque rebus deliberet, quos de se cotidie consulat, a quibus audiat verum sine contumelia, laudetur sine adulatione, ad quorum se similitudinem effingat. 3 Solemus dicere non fuisse in nostra potestate, quos sortiremur parentes, forte nobis datos: nobis vero ad nostrum arbitrium nasci licet. Nobilissimorum ingeniorum familiae sunt: elige in quam adscisci velis; non in

5. *Zenonem*: di Cízico, il fondatore della Stoa (cfr. *ad Helv.* 12, 4) e non l'eleate. Acutamente il Grimal annota che in questa enumerazione Zenone (non per nulla in prima fila) sembra rappresentare la morale, Pitagora (fondatore dell'omonima scuola nella Magna Grecia) la matematica, Democrito (atomista) la fisica, Aristotele e Teofrasto (peripatetici) le scienze naturali.

XV. Il saggio è al di sopra del tempo, come dio.

1. *sermo... amicitia*: sotto l'impero fare o ascoltare discorsi anticonformisti era rischioso, come pure essere amici di persone accusate o

fior di labbro dallo schiavo! Possiamo ben dire che sono veri impegni quelli di chi vorrà ogni giorno essere il più possibile intimo di Zenone, di Pitagora e di tutti gli altri sacerdoti della virtù, di Aristotele e di Teofrasto. Non ci sarà nessuno di loro che non avrà tempo per te, che, se ci vai, non ti farà tornare più felice e affezionato, da nessuno te ne andrai a mani vuote: di notte, di giorno è possibile a tutti incontrarli.

XV. Nessuno di loro ti costringerà a morire, tutti te lo insegneranno; nessuno di loro consumerà i tuoi anni, anzi ti aggiungerà i suoi; di nessuno di loro saranno pericolosi i discorsi, funesta l'amicizia, dispendioso l'ossequio. Otterrai da loro tutto ciò che vorrai; non saranno loro a impedirti di attingere quanto più puoi contenere. Che felicità, che bella vecchiaia attende chi si è fatto loro cliente! Avrà con chi discutere i più piccoli e i più grandi problemi, chi consultare ogni giorno su se stesso, da chi udire verità non umilianti, ricevere lodi non adulatorie, sul cui modello formarsi. Siamo soliti dire che non era in nostro potere scegliere i genitori, datici dalla sorte: ma possiamo nascere come vogliamo. Esistono famiglie formate dagli ingegni più noti: scegli in quale vuoi essere

condannate. Così S. fu coinvolto nella repressione neroniana della congiura di Pisone nel 65.

2. *se... effingat*: precetto epicureo, che S. traduce in *ep.* 21, 8: «dobbiamo sceglierci un uomo buono e tenerlo sempre davanti agli occhi, in modo da vivere come se lui ci guardasse e da agire in tutto come se lui ci vedesse», e che consiglia a Lucilio.

3. *familiae*: S. gioca sul doppio senso di «famiglia» e «scuola filosofica».

nomen tantum adoptaberis, sed in ipsa bona, quae non erunt sordide nec maligne custodienda: maiora fient, quo
4 illa pluribus diviseris. Hi tibi dabunt ad aeternitatem iter et te in illum locum, ex quo nemo deicitur, sublevabunt. Haec una ratio est extendendae mortalitatis, immo in immortalitatem vertendae. Honores, monimenta, quidquid aut decretis ambitio iussit aut operibus exstruxit, cito subruitur, nihil non longa demolitur vetustas et movet; at iis, quae consecravit sapientia, nocere non potest; nulla abolebit aetas, nulla deminuet; sequens ac deinde semper ulterior aliquid ad venerationem conferet, quoniam quidem in vicino versatur invidia, simplicius longe posita
5 miramur. Sapientis ergo multum patet vita, non idem illum qui ceteros terminus cludit: solus generis humani legibus solvitur, omnia illi saecula ut deo serviunt. Transiit tempus aliquod: hoc recordatione comprendit; instat: hoc utitur; venturum est: hoc praecipit. Longam illi vitam facit omnium temporum in unum conlatio.

1 **XVI.** Illorum brevissima ac sollicitissima aetas est, qui praeteritorum obliviscuntur, praesentia neglegunt, de futuro timent: cum ad extrema venerunt, sero intellegunt
2 miseri, tam diu se, dum nihil agunt, occupatos fuisse. Nec est, quod hoc argumento probari putes longam illos agere vitam, quia interdum mortem invocant: vexat illos inprudentia incertis adfectibus et incurrentibus in ipsa, quae
3 metuunt; mortem saepe ideo optant, quia timent. Illud quoque argumentum non est quod putes diu viventium, quod saepe illis longus videtur dies, quod, dum veniat

5. *ut deo*: vedi *Introd.*, §4.

XVI. Invece gli affaccendati sono preda di stati d'animo smaniosi e contraddittori.

adottato; non ne otterrai solo il nome, ma gli stessi beni, che non dovrai amministrare con avarizia e taccagneria: a più li distribuirai e più cresceranno. Saranno loro a darti la via per l'eternità e a innalzarti in quel luogo, da dove nessuno è scacciato. È questo il solo modo di prolungare la condizione mortale, anzi di mutarla in immortale. Onori, monumenti, tutto ciò che l'ambizione decreta o costruisce, è presto scalzato, nulla a lungo si sottrae all'azione demolitrice del tempo; ma a ciò che consacra la saggezza non si può nuocere; nessun'età lo cancellerà, nessuna lo sminuirà; la successiva e tutte quelle che verranno dopo porteranno il loro tributo di venerazione, perché ristretto è l'orizzonte dell'invidia, più schietta è la nostra ammirazione a distanza. Molto dunque si estende la vita del saggio, non è confinato negli stessi limiti degli altri: lui solo è libero dalle leggi dell'umanità, tutti i secoli ubbidiscono a lui come a dio. È passato del tempo: lo blocca col ricordo; urge: ne usa; sta per venire: lo pregusta. Gli fa lunga la vita la concentrazione di tutti i tempi.

XVI. Brevissima e ansiosissima è la vita di quelli che dimenticano il passato, non curano il presente, temono il futuro: giunti all'ultima ora, tardi comprendono, disgraziati, di essere stati tanto tempo occupati a non far nulla. Né si credano prova di lunga vita le ripetute invocazioni alla morte: li tormenta l'ignoranza fra passioni incerte che incorrono proprio in quel che temono; si augurano spesso la morte perché ne hanno paura. Non è prova che vivono a lungo neppure il fatto che spesso il giorno gli sembra

condictum tempus cenae, tarde ire horas queruntur; nam si quando illos deseruerunt occupationes, in otio relicti aestuant, nec quomodo id disponant aut extrahant sciunt. Itaque ad occupationem aliquam tendunt et quod interiacet omne tempus grave est, tam mehercules, quam cum dies muneris gladiatorii edictus est, aut cum alicuius alterius vel spectaculi vel voluptatis exspectatur consti-
4 tutum, transilire medios dies volunt. Omnis illis speratae rei longa dilatio est: at illud tempus, quod amant, breve est et praeceps breviusque multo suo vitio; aliunde enim alio transfugiunt et consistere in una cupiditate non possunt. Non sunt illis longi dies, sed invisi; at contra quam exiguae noctes videntur, quas in conplexu scortorum aut
5 vino exigunt! Inde etiam poetarum furor fabulis humanos errores alentium, quibus visus est Iuppiter voluptate concubitus delenitus duplicasse noctem. Quid aliud est vitia nostra incendere quam auctores illis inscribere deos et dare morbo exemplo divinitatis excusatam licentiam? Possunt istis non brevissimae videri noctes, quas tam care mercantur? Diem noctis exspectatione perdunt, noctem lucis metu.

1 **XVII.** Ipsae voluptates eorum trepidae et variis terroribus inquietae sunt subitque cum maxime exsultantis sollicita cogitatio: «haec quam diu?». Ab hoc affectu reges suam flevere potentiam, nec illos magnitudo fortunae suae
2 delectavit, sed venturus aliquando finis exterruit. Cum

5. *Iuppiter*: per amore di Alcmena, cui si era presentato sotto l'aspetto del marito Anfitrione, raddoppiò la durata della notte (in cui nacque Ercole: è l'argomento della tragicommedia plautina *Amphitruo*). Le avventure di Giove cantate dai poeti sono stigmatizzate in *vit. beat.* 26, 6: S. non riconosce alla poesia che un fine morale (vedi sopra, 9, 2 sgg).

eterno, che in attesa dell'ora convenuta per il pranzo, si lamentano che il tempo non passa mai; se poi le loro occupazioni li abbandonano lasciandogli disponibilità di tempo, ondeggiano e non sanno come impiegarlo o trascorrerlo. Perciò si propongono un'occupazione qualunque e tutto il tempo intercorrente gli pesa, così come, quando si è fissato il giorno di uno spettacolo di gladiatori, o quando si aspetta il momento stabilito per qualche altro spettacolo o piacere, vorrebbero saltare i giorni di mezzo. Per loro ogni rinvio di una cosa sperata è lungo: ma quel tempo, che amano, è breve e corre a precipizio e ancor più si accorcia per loro colpa: ché passano da una cosa all'altra e non possono fermarsi in una sola passione. Per loro non sono lunghi i giorni, ma odiosi; invece come gli sembrano corte le notti che passano tra le braccia delle puttane o tra i bicchieri! Di qui anche il delirio dei poeti che alimentano i traviamenti umani: a sentirli, Giove nell'ebbrezza del piacere avrebbe duplicato una notte d'amore. Non significa dar esca ai propri vizi farne promotori gli dei e dare ai nostri mali con l'esempio della divinità la scusa per sfrenarsi? Possono a costoro non sembrare cortissime notti pagate così care? Perdono il giorno in attesa della notte, la notte per timore del giorno.

XVII. Gli stessi loro piaceri sono ansiosi e senza pace per varie paure, e proprio al culmine dell'ebbrezza subentra il pensiero tormentoso: «Quanto durerà?». Per via di questo stato d'animo, dei re piansero la loro potenza, né gli dava tanta gioia la grandezza della loro fortuna quanto terrore la prospettiva della fine. Schierando in

XVII. Gioie e piaceri sono amareggiati dal senso della loro precarietà.

per magna camporum spatia porrigeret exercitum nec numerum eius sed mensuram conprenderet Persarum rex insolentissimus, lacrimas profudit, quod intra centum annos nemo ex tanta iuventute superfuturus esset: at illis admoturus erat fatum ipse qui flebat perditurusque alios in mari, alios in terra, alios proelio, alios fuga et intra exiguum tempus consumpturus illos, quibus centesimum

3 annum timebat. Quid, quod gaudia quoque eorum trepida sunt? Non enim solidis causis innituntur, sed eadem qua oriuntur vantate turbantur. Qualia autem putas esse tempora etiam ipsorum confessione misera, cum haec quoque, quibus se attollunt et super hominem efferunt,

4 parum sincera sint? Maxima quaeque bona sollicita sunt nec ulli fortunae minus bene quam optimae creditur: alia felicitate ad tuendam felicitatem opus est et pro ipsis, quae successere, votis vota facienda sunt. Omne enim quod fortuito obvenit instabile est; quod altius surrexerit, opportunius est in occasum. Neminem porro casura delectant: miserrimam ergo necesse est, non tantum brevissimam, vitam esse eorum, qui magno parant labore,

5 quod maiore possideant. Operose adsecuntur quae volunt, anxii tenent quae adsecuti sunt; nulla interim numquam amplius redituri temporis ratio est: novae occupationes veteribus substituuntur, spes spem excitat, ambitionem ambitio. Miseriarum non finis quaeritur, sed materia mutatur. Nostri nos honores torserunt: plus temporis alieni auferunt; candidati laborare desiimus: suffragatores incipimus; accusandi deposuimus molestiam: iudicandi

2. *Persarum rex*: Serse, prototipo di *hybris* (*superbia*, cfr. *insolentissimus* e 18, 5: *superbi regis*). L'episodio è narrato da Erodoto (7, 45-46) e condensato da Valerio Massimo (9, 13, *ext.* 1).

4. *quod altius* ecc.: topico, cfr. *Agam.* 101: «tutto ciò che la fortuna

grandi pianure l'esercito e non potendolo contare, ma solo misurare, l'orgogliosissimo re di Persia versò lacrime, perché di lì a cent'anni nessuno di tanti giovani sarebbe sopravvissuto: ma doveva abbreviarne la vita proprio lui che li piangeva, doveva far perire chi in mare, chi in terra, chi in battaglia, chi in fuga e in breve tempo annientare quelli per i quali temeva il centesimo anno. E le loro gioie, non sono anch'esse ansiose? Non hanno solide basi, ma soffrono della stessa inconsistenza da cui nascono. Quali credi che siano le ore per loro stessa confessione tristi, se anche queste, in cui insuperbiscono e si pongono al di sopra dell'umanità, sono così poco genuine? Tutti i beni più grandi sono fonte di ansia, e di nessuna fortuna è bene fidarsi meno che della più prospera: c'è bisogno di sempre nuovo successo per mantenere il successo, e si devono far voti proprio per i voti che si sono realizzati. Tutto ciò che avviene per caso è instabile; ciò che si è levato più in alto è più esposto alle cadute. Ora a nessuno fanno piacere le cose caduche: è dunque inevitabile che sia dolorosissima, e non solo brevissima, la vita di chi acquista con grande pena beni da possedere con pene maggiori. Con fatica ottengono quello che vogliono, con ansia mantengono quello che hanno ottenuto; non si fa intanto nessun conto del tempo che non tornerà mai più: nuove faccende subentrano alle vecchie, una speranza, un'ambizione ne risveglia un'altra. Non si cerca la fine delle sofferenze, ma se ne cambia la materia. La nostra carriera ha cessato di tormentarci? Ci prende più tempo quella degli altri. Abbiamo finito di penare come candidati? Ricominciamo come sostenitori delle altrui candidature. Ci siamo liberati

porta in alto, lo eleva per precipitarlo». Cfr. il mio articolo *Seneca lirico*, ora in *La lyra e la libra*, Bologna 2003, p. 149 sg.

nanciscimur; iudex desiit esse: quaesitor est; alienorum bonorum mercennaria procuratione consenuit: suis opibus
6 distinetur. Marium caliga dimisit: consulatus exercet. Quintius dictaturam properat evadere: ab aratro revocabitur. Ibit in Poenos nondum tantae maturus rei Scipio; victor Hannibalis, victor Antiochi, sui consulatus decus, fraterni sponsor, ni per ipsum mora sit, cum Iove reponeretur: civiles < civium > servatorem agitabunt seditiones et post fastiditos a iuvene diis aequos honores iam senem contumacis exilii delectabit ambitio. Numquam derunt vel felices vel miserae sollicitudinis causae; per occupationes vita trudetur: otium numquam agetur, semper optabitur.

1 **XVIII.** Excerpe itaque te volgo, Pauline carissime, et in tranquilliorem portum non pro aetatis spatio iactatus tandem recede. Cogita, quot fluctus subieris, quot tempestates partim privatas sustinueris, partim publicas in te

6. *Marium*: Gaio Mario, «salito dalla gavetta (*calĭga*, propr. calzatura militare) al consolato» (*ben.* 5, 16, 2).

consulatus: furono sei, il primo nel 107 a.C., gli altri consecutivi dal 104 al 100.

Quintius: Cincinnato, due volte dittatore (458 e 439 a.C.). I magistrati incaricati di comunicargli la prima nomina secondo Livio (3, 26, 7-9), la seconda secondo Cicerone (*Cato M.* 56) lo trovarono occupato ad arare.

Scipio: Publio Cornelio Scipione l'Africano, inviato nel 211 a.C. a ventiquattr'anni, come proconsole in Spagna contro Asdrubale; vincitore di Annibale a Zama nel 202; di Antioco, re di Siria, a Magnesia nel 190, ma come consigliere del fratello Lucio. Si oppose che la sua statua fosse posta nel tempio di Giove Capitolino (Valerio Massimo, 4, 1, 6); esposto agli attacchi dei tribuni della plebe (Livio, 38, 50, sgg.), si ritirò a Literno, in Campania (la sua *villa* era ancora visibile ai tempi di S., cfr. *ep.* 86, 4), «in volontario esilio» (*ibid.* 3), e ivi volle essere sepolto, «perché il funerale non si facesse nell'ingrata patria» (Livio, 38, 53, 8).

dalla seccatura di essere accusatori? Incappiamo in quella di essere giudici. Ha cessato di essere giudice? Istruisce processi. È invecchiato amministrando a pagamento i beni altrui? Ha mille brighe dalle sue sostanze. L'esercito ha congedato Mario? Lo fa tribolare il consolato. Quinzio non vede l'ora di deporre la dittatura? Lo richiameranno dall'aratro. Muoverà contro i Cartaginesi Scipione non ancora in età per tanta impresa; vincitore di Annibale, vincitore di Antioco, lustro del suo consolato, garante di quello fraterno, non fosse per la sua opposizione avrebbe un posto accanto a Giove: salvatore dei cittadini, sarà coinvolto in lotte civili e quel giovane che aveva sdegnato onori pari agli dei, da vecchio si compiacerà di ostentare un orgoglioso esilio. Non mancheranno mai motivi lieti o tristi di preoccupazione; la vita si caccerà da una faccenda in un'altra: il tempo libero non sarà mai una realtà, sarà sempre un sogno.

XVIII. Stàccati dunque dalla folla, Paolino carissimo, e dopo tante traversie non proporzionate ai tuoi anni ritìrati finalmente in un porto più tranquillo. Pensa quanti flutti hai affrontato, quante tempeste private hai soffer-

reponeretur: ho restituito il testo tràdito (*reponetur* Reynolds) e giustificato la discrepanza sintattica nel mio commento (vd. *Bibliografia*) *ad loc.*, seguito da Gazich e Ramondetti.

<*civium*>: accetto l'integrazione del Gertz, paleograficamente probabile e opportuna come determinante di *servatorem.*

XVIII. Esortazione a Paolino perché lasci le occupazioni pubbliche...
1. *Pauline*: vedi *Introd.*, §6.

converteris; satis iam per laboriosa et inquieta documenta exhibita virtus est: experire, quid in otio faciat. Maior pars aetatis, certe melior, rei publicae data sit: aliquid temporis
2 tui sume etiam tibi. Nec te ad segnem aut inertem quietem voco, non ut somno et caris turbae voluptatibus quidquid est in te indolis vividae mergas: non est istud adquiescere; invenies maiora omnibus adhuc strenue tractatis operibus,
3 quae repositus et securus agites. Tu quidem orbis terrarum rationes administras tam abstinenter quam alienas, tam diligenter quam tuas, tam religiose quam publicas. In officio amorem consequeris, in quo odium vitare difficile est: sed tamen, mihi crede, satius est vitae suae rationem
4 quam frumenti publici nosse. Istum animi vigorem rerum maximarum capacissimum a ministerio honorifico quidem sed parum ad beatam vitam apto revoca et cogita non id egisse te ab aetate prima omni cultu studiorum liberalium, ut tibi multa milia frumenti bene committerentur: maius quiddam et altius de te promiseras. Non derunt et frugalitatis exactae homines et laboriosae operae: tanto aptiora exportandis oneribus tarda iumenta sunt quam nobiles equi, quorum generosam pernicitatem quis
5 umquam gravi sarcina pressit? Cogita praeterea, quantum sollicitudinis sit ad tantam te molem obicere: cum ventre tibi humano negotium est; nec rationem patitur nec aequitate mitigatur nec ulla prece flectitur populus esuriens. Modo modo intra paucos illos dies, quibus C. Caesar periit – si quis inferis sensus est, hoc gratissime

5. *C. Caesar*: Caligola, «che bisognerebbe depennare dal numero dei Cesari» (*ad Pol.* 17, 4), «uomo avidissimo di sangue umano» (*ben.* 4, 31, 1).

to, quante pubbliche ti sei attirato; già abbastanza si è messo in luce il tuo valore attraverso prove faticose e turbolente: sperimenta quel che può fare in assenza di impegni. Sia stata dedicata alla vita pubblica la maggior parte dell'esistenza, certo la migliore: prenditi un po' del tuo tempo anche per te. Non ti invito a un riposo pigro e inattivo, non ad affogare quanta vitalità c'è in te nel sonno e nei piaceri cari al volgo: questo non è un riposare; troverai attività più grandi di quelle in cui sinora ti sei impegnato, da svolgere in un sereno isolamento. È vero che tu amministri gli affari del mondo con tanta onestà come non tuoi, con tanta cura come tuoi, con tanto scrupolo come pubblici. Ti fai voler bene in un incarico dove è difficile evitare il malcontento: eppure, credimi, è meglio conoscere la contabilità della propria vita che del grano statale. Distogli questa tua energia spirituale, capacissima delle cose più grandi, da un ufficio onorifico sì, ma troppo poco adatto alla vera felicità, e pensa che non ti sei perfezionato sin dai primi anni in ogni studio liberale perché ti fossero felicemente affidate molte migliaia di moggi di grano: avevi dato di te promesse più grandi e più alte. Non mancheranno uomini di assoluta onestà e laboriosità: a portar pesi sono tanto più adatti i lenti muli che i cavalli di razza; chi mai ne ha frenato la nobile agilità con una soma pesante? Pensa che fonte di preoccupazioni sia sobbarcarti a un fardello così grande: hai da fare col ventre degli uomini; il popolo affamato non sente ragioni, nulla di giusto lo placa, nessuna preghiera lo piega. Or ora, nello spazio di quei pochi giorni in cui morì Gaio Cesare – se c'è una sensibilità nell'oltretom-

ferens, quod ducebat populo Romano superstite septem aut octo certe dierum cibaria superasse –, dum ille pontes navibus iungit et viribus imperii ludit, aderat ultimum malorum obsessis quoque, alimentorum egestas; exitio paene ac fame constitit et, quae famem sequitur, rerum omnium ruina furiosi et externi et infeliciter superbi regis
6 imitatio. Quem tunc animum habuerunt illi, quibus erat mandata frumenti publici cura, saxa, ferrum, ignes, Gaium excepturi? Summa dissimulatione tantum inter viscera latentis mali tegebant, cum ratione scilicet; quaedam enim ignorantibus aegris curanda sunt: causa multis moriendi fuit morbum suum nosse.

1 **XIX.** Recipe te ad haec tranquilliora, tutiora, maiora! Simile tu putas esse, utrum cures, ut incorruptum et a fraude advehentium et a neglegentia frumentum transfundatur in horrea, ne concepto umore vitietur et concalescat, ut ad mensuram pondusque respondeat, an ad haec sacra et sublimia accedas sciturus, quae materia sit dei, quae voluntas, quae condicio, quae forma; quis animum tuum casus exspectet; ubi nos a corporibus dimissos natura

ducebat: così ho corretto il testo tràdito *dicebat*, cfr. *Lo stile «drammatico»*, cit., pp. 164-169. Emendamento accolto dalla Ramondetti e da Gazich (in nota, mentre nel testo legge *videbat* del Castiglioni).
pontes navibus iungit: da Baia a Pozzuoli (Svetonio, *Cal.* 19, 1).
superbi regis: Serse (vedi sopra, 17, 2), che costruì un ponte sullo stretto dei Dardanelli per la sfortunata (*infeliciter*) spedizione in Grecia (Svetonio, *Cal.* 19, 3 col commento di G. Guastella, Roma 1992, pp. 147-152).

XIX. ... e si dia alla vita contemplativa.
1. *quae materia* ecc.: sono i grandi problemi fisici e metafisici che S. enumera anche in *nat. quaest.* 1, *pr.* 1: «ringrazio la natura quando entro nel suo intimo, quando imparo qual è la materia dell'universo,

ba, soddisfatto perché calcolava che, anche se il popolo romano gli sopravviveva, almeno restavano vettovaglie solo per sette o otto giorni –, mentre costruiva ponti di navi e giocava con le risorse dell'impero, si affacciava il peggiore dei mali anche per gli assediati, la carestia; costò quasi la morte e la fame e, conseguenza della fame, la catastrofe, l'imitazione di un re forsennato e straniero e sciaguratamente orgoglioso. Che stato d'animo dovevano avere i responsabili dell'approvvigionamento del grano, esposti alle pietre, al ferro, alle fiamme, a Gaio? Con disperata dissimulazione coprivano un male così grande ancora nascosto nelle viscere, e a ragion veduta; ci sono cure che vanno fatte all'insaputa dei malati: per molti fu causa di morte avere appreso la propria malattia.

XIX. Rifùgiati in queste occupazioni più tranquille, più sicure, più grandi! Credi che sia lo stesso se ti curi che il frumento sia travasato nei granai senza danni per frode o incuria dei trasportatori, che non si deteriori e fermenti per l'umidità, che risponda alla misura e al peso, o se intraprendi questi studi sacri e sublimi, con la prospettiva di sapere quale sia la materia di dio, quale la volontà, la condizione, la forma; quali vicende aspettino il tuo spirito; che posto ci riservi la natura una volta dimessi dal corpo;

chi ne è il creatore o il custode, cos'è dio...»; *ep.* 65, 19 sg.: «non dovrei indagare quali sono i principi di tutte le cose? Chi gli ha dato forma?... Chi è l'architetto di questo universo?... Da dove emana tanta luce? Se è il fuoco, o un elemento più luminoso del fuoco?... Dovrei ignorare da dove discendo?... Dove sono destinato ad andare?».

ubi nos ecc.: S. oscillò sempre tra l'ipotesi di un annullamento dell'anima dopo la morte e quella di una sua limitata sopravvivenza sino alla periodica conflagrazione cosmica («ecpiròsi»): cfr. il mio commento a questo passo e *Lo stile «drammatico»*, cit., pp. 81-89 (alla bibliografia aggiungere A.F. Martin Sanchez, *La immortalidad*

componat; quid sit quod huius mundi gravissima quaeque in medio sustineat, supra levia suspendat, in summum ignem ferat, sidera vicibus suis excitet; cetera deinceps
2 ingentibus piena miraculis? Vis tu relicto solo mente ad ista respicere? Nunc, dum calet sanguis, vigentibus ad meliora eundum est. Exspectat te in hoc genere vitae multum bonarum artium, amor virtutium atque usus, cupiditatium oblivio, vivendi ac moriendi scientia, alta rerum quies.

1 **XX.** Omnium quidem occupatorum condicio misera est, eorum tamen miserrima, qui ne suis quidem laborant occupationibus, ad alienum dormiunt somnum, ad alienum ambulant gradum, amare et odisse, res omnium liberrimas, iubentur. Ili si volent scire quam brevis ipsorum vita sit, cogitent ex quota parte sua sit.

2 Cum videris itaque praetextam saepe iam sumptam, cum celebre in foro nomen, ne invideris: ista vitae damno parantur. Ut unus ab illis numeretur annus, omnis annos suos conterent. Quosdam ante quam in summum ambitionis eniterentur, inter prima luctantis aetas reliquit; quosdam cum in consummationem dignitatis per mille indignitates erupissent, misera subît cogitatio laborasse ipsos in titulum sepulcri; quorundam ultima senectus, dum

del sabio en Séneca, «Helm.» 35, 1984, pp. 81-89). Sull'escatologia senecana esauriente e convincente A. Setaioli, *Seneca e l'oltretomba* (1997), ora in *Facundus Seneca*, cit., pp. 275-323.

gravissima quaeque ecc.: per la cosmologia stoica, d'accordo con la teoria aristotelica dei luoghi naturali, i quattro elementi sono stratificati secondo il loro peso: i più pesanti, la terra e l'acqua, al centro dell'universo, sopra l'aria e alla periferia il fuoco. Sarà ancora il cosmo di Dante.

quale sia la forza che regge al centro gli elementi più pesanti dell'universo, sospende sopra i leggeri, solleva il fuoco alla periferia, fa correre nelle loro orbite gli astri; e via via gli altri fenomeni pieni di grandi meraviglie? Vuoi, lasciata la terra, volgere l'occhio dell'anima a tali cose? Ora, mentre il sangue è caldo, mentre abbiamo vigore per mete migliori si deve andare. Ti attende in questo genere di vita un gran numero di buone attività, l'amore e la pratica della virtù, il saper vivere e morire, un profondo riposo.

XX. Miserabile è la condizione di tutti gli affaccendati, ma soprattutto di quelli che non penano neppure per le proprie faccende, regolano il loro sonno sul sonno altrui, il loro passo sul passo altrui, hanno simpatie e antipatie – i più spontanei dei sentimenti – a comando. Se vogliono sapere come sia breve la loro vita, pensino quanto poca sia la parte che gli appartiene.

Quando vedrai pertanto una pretesta già più volte indossata, quando un nome celebre nel foro, non provare invidia: sono cose che si acquistano a scapito della vita. Perché un solo anno si dati da loro, consumano tutti i loro anni. Certuni, prima di scalare la vetta della loro ambizione, tra le prime difficoltà li abbandonò la vita; a certuni, fattisi strada attraverso mille disonestà per coronare la carriera, venne l'amaro pensiero di aver faticato per l'epitaffio; a certuni venne meno l'estrema vecchiaia, mentre attendeva a nuovi programmi come la

XX. Di fronte alla pace del saggio, l'alienazione degli affaccendati: muoiono senza avere vissuto.

2. *praetextam*: la toga orlata di porpora dei magistrati.

unus ab illis numeretur annus: a Roma gli anni si datavano dal nome dei consoli.

in novas spes ut iuventa disponitur, inter conatus magnos
3 et inprobos invalida defecit. Foedus ille, quem in iudicio pro ignotissimis litigatoribus grandem natu et inperitae coronae assensiones captantem spiritus liquit; turpis ille, qui vivendo lassus citius quam laborando inter ipsa officia conlapsus est; turpis, quem accipiendis immorientem
4 rationibus diu tractus risit heres. Praeterire quod mihi occurrit exemplum non possum: S. Turannius fuit exactae diligentiae senex, qui post annum nonagesimum, cum vacationem procurationis ab C. Caesare ultro accepisset, componi se in lecto et velut exanimem a circumstante familia plangi iussit. Lugebat domus otium domini senis nec finivit ante tristitiam, quam labor illi suus restitutus
5 est. Adeone iuvat occupatum mori? Idem plerisque animus est: diutius cupiditas illis laboris quam facultas est; cum inbecillitate corporis pugnant, senectutem ipsam nullo alio nomine gravem iudicant, quam quod illos seponit. Lex a quinquagesimo anno militem non legit, a sexagesimo senatorem non citat: difficilius homines a se otium
6 inpetrant quam a lege. Interim dum rapiuntur et rapiunt, dum alter alterius quietem rumpit, dum mutuo miseri sunt, vita est sine fructu, sine voluptate, sine ullo profectu animi: nemo in conspicuo mortem habet, nemo non procul spes intendit, quidam vero disponunt etiam illa, quae

4. *S. Turannius*: incerta l'identificazione con un Gaio Turranio prefetto dell'annona sotto Tiberio e Claudio (Tacito, *ann.* 1, 7; 11, 31).
C. Caesar: Caligola, vedi sopra, 19, 5.
iussit: come il Trimalchione di Petronio (*sat.* 78, 5) e il Pacuvio di *ep.* 12, 8: «si faceva trasportare nella camera da letto dalla sala da pranzo in modo che fra i battimani dei suoi favoriti si cantasse a suon di musica il ritornello: ha finito di vivere».

gioventù, vittima della sua debolezza fra tentativi grandiosi e ostinati. Onta a chi, in età avanzata, difendendo in tribunale litiganti del tutto sconosciuti e cercando gli applausi di un pubblico ignorante, rimase senza fiato; vergogna a chi, stanco di vivere prima che di lavorare, stramazzò in mezzo ai suoi stessi impegni; vergogna a chi, morendo sul libro dei conti, fece sorridere l'erede a lungo frustrato. Non posso tacere un esempio che mi viene in mente: Sesto Turannio era un vecchio di assoluta coscienziosità, che dopo i novant'anni, ricevuto da Gaio Cesare il non richiesto esonero dalla procura, si fece porre sul cataletto e piangere come morto da tutta la sua gente. Piangeva la casa l'inattività del vecchio padrone e non finì il lutto prima che gli fosse restituito il lavoro. È così piacevole morire affaccendato? Lo stesso stato d'animo ha la maggior parte: dura più a lungo in essi la voglia che la capacità di lavorare; lottano con la debolezza fisica, e reputano la stessa vecchiaia gravosa solo perché li mette da parte. La legge non chiama sotto le armi a partire dai cinquant'anni, non convoca il senatore dai sessanta: è più difficile per gli uomini ottenere il riposo da se stessi che dalla legge. Frattanto, mentre sono rapinati e rapinano, mentre si tolgono la pace l'un l'altro, mentre si rendono reciprocamente infelici, la vita resta senza frutto, senza piacere, senza alcun progresso spirituale: non c'è nessuno che ha in vista la morte, che non saetta lontano le sue speranze, certuni poi predispongono anche le cose che

6. *spes intendit*: vedi sopra, 9, 1 e *Introd.*, §4. In una lettera alla sorella del 19 aprile 1823 così Leopardi definirà la speranza: «È una passione turbolentissima perché porta necessariamente con sé un grandissimo timore che la cosa non succeda».

ultra vitam sunt, magnas moles sepulcrorum et operum publicorum dedicationes et ad rogum munera et ambitiosas exequias. At mehercules istorum funera, tamquam minimum vixerint, ad faces et cereos ducenda sunt.

ad faces et cereos: come nei funerali dei bambini (cfr. *tranq. an.* 11, 7 e Servio, *ad Aen.* 11, 143). Sul funerale dei bambini a Roma cfr. Elena Malaspina, *Pusillum temporis perit. A proposito di un paradosso senecano*, «Helikon» 31-32, 1991-92, p. 454.

sono oltre la vita, grandi moli di sepolcri e dediche di opere pubbliche e giochi funebri ed esequie pompose. Ma certo i funerali di costoro, come se avessero vissuto pochissimo, dovrebbero farsi al lume delle torce e dei ceri.

AGGIORNAMENTI

INTRODUZIONE

P. 8. *Su pendeo* come eco senecana in Ausonio, Silvia Mattiacci, *Da Kairos a Occasio: un percorso tra letteratura e iconografia*, in AA.VV., *Il calamo della memoria*, IV, Trieste 2011, p. 135.

N. 11. Ricordo una massima di C. Magris: «Noi siamo tempo rappreso». Cfr. anche Elisabetta Graziosi, *Introduzione* a Ead. (ed.), *Il tempo e la poesia*, Bologna 2008, pp. 7-27.

P. 21, N. 39. Aggiungere F. Citti, *Cura sui. Studi sul lessico filosofico di Seneca*, Amsterdam 2012.

BIBLIOGRAFIA

Edizioni, commenti, traduzioni: Seneca, *L'opera del tempo*, trad. di S. Damiani, pref. di Bianca Garavelli, Milano 2006; Seneca, *De brevitate vitae*, a cura di T. Gazzarri, Milano (Mondadori) 2010 (rimando all'elenco delle edizioni dal 1525 al 2008 per integrare la presente bibliografia); L. Anneo Seneca, *La brevità della vita*, intr. di Caterina Barone, trad. e note di M. Ciceri, con un saggio di L. Canfora (che non riguarda il dialogo), Milano (Garzanti) 2013. La traduzione di Manca è ristampata in Seneca, *La brevità della vita*, a cura di C. Carena, Torino 2013. La mia traduzione è stata ristampata, con o senza il testo latino, in altre Collane della BUR (Seneca, *Opere morali*, intr, di Paola Ramondetti, Radici BUR, 2007, pp. 691-712; *La brevità della vita*, Pillole BUR, 2010²) e presso altri editori (Fabbri, Milano 2004).

Sul tempo in Seneca Emanuela Andreoni, *Il tempo in Seneca*, in *Animula. I lettori moderni degli antichi*, Roma 2008, pp. 211-227.

NOTE AL TESTO

P. 46, cap. I, par. 1. L'articolo di Tosi è ristampato in *La donna è mobile e altri studi di intertestualità proverbiale*, Bologna 2011, p. 128 sg.

P. 47, cap. I, par. 2. *malignitate*: per Emanuela Andreoni (*Latino: tradurre il testo filosofico*, «Aufidus» 53-54, 2004, p. 8 sg.) il senso sarebbe «malvagità» e non «avarizia» (vd. la nota *ad loc.* della mia edizione torinese).

P. 48, cap. II, par. 2. Gli *Studi Setaioli* sono pubblicati col titolo *Concentus ex dissonis*, Napoli 2006 (pp. 229-249 il mio articolo).

P. 50, cap. II, par. 3. La frase *nec umquam ... otium stat* è analizzata da Antonella Borgo, *Il tormentoso otium dello stoico*, «Boll. Stud. Lat.» 36, 2006, pp. 419-429.

P. 56, cap. IV, par. 2. Su Seneca e Augusto Rita Degl'Innocenti Pierini, *Magnitudinem exuere: Augusto privato in Seneca, brev. vit. 4,2 sg.*, «Paideia» 67, 2012, pp. 107-121; Francesca Romana Berno, *Eccellente ma non troppo: l'exemplum di Augusto in Seneca*, in M. Labate, G. Rosati (edd.), *La costruzione del mito augusteo*, Heidelberg 2013, pp. 181-196.

P. 59, cap. V, par. 1. Su Seneca e Cicerone P. Fedeli, *Cicerone e Seneca*, «Ciceroniana» 12, 2006, pp. 219-237.

P. 101, cap. XVII, par. 6. *Reponeretur*: Damiani e Ciceri accolgono il mio testo, Williams e Gazzarri leggono con Reynolds *reponetur*.

P. 104, cap. XVIII, par. 5. *Ducebat*: la mia congettura è accolta dagli ultimi editori, tranne Williams, che legge *videbat*.

GLOSSARIO

anáfora: ripetizione iniziale della stessa parola o gruppo di parole.
atarassía: imperturbabilità.
diátesi: la «voce» del verbo (attivo, passivo, transitivo, ecc.).
diátriba: filosofia popolare, di tono predicatorio e di origine cinica.
diatribico: vd. diatriba.
escatologico: che riguarda la fine dell'uomo e/o dell'universo.
figura etimologica: accostamento di parole che hanno la stessa etimologia (per es. «vivere la vita», «concordia discorde»).
hapax: parola che ricorre una volta sola («unicismo»).
iunctura: nesso di parole.
metonimicamente: tramite metonímia (sostituzione di una parola a un'altra di significato contiguo, per es. «prora» per «nave»).
protrettico: discorso esortatorio.
topos: luogo comune.
ucronía: atemporalità.

SOMMARIO

Finito di stampare nell'ottobre 2016 presso
Grafica Veneta – via Malcanton, 2 – Trebaseleghe (PD)
Printed in Italy

ISBN 978-88-17-16940-0